Storie
e testimonianze

GIUSEPPE DI VITTORIO

Le ragioni del sindacato
nella costruzione della democrazia

a cura di Pietro Neglie

EDIESSE

Indice

Nota del curatore

Il centenario della nascita di Giuseppe Di Vittorio, il cui nome si lega indissolubilmente al mondo del lavoro e al movimento sindacale italiano e mondiale, ha rappresentato l'occasione per una riflessione collettiva sugli ultimi anni della nostra storia. Una storia nella quale le «plebi» contadine e operaie e le loro organizzazioni sindacali hanno svolto un ruolo da protagonisti. L'importanza che hanno avuto le lotte e i sacrifici della classe operaia nell'edificazione dello Stato democratico è oggi unanimemente riconosciuta, lo dimostra la presenza delle più alte cariche dello Stato alla celebrazione del centenario, tenutasi il 22 dicembre 1992 nella sala Orazi e Curiazi del Campidoglio. Ma nello stesso tempo, sotto l'influsso di cambiamenti epocali, di spinte verso ipotesi corporative, settoriali, questa stessa funzione di costruzione e di tutela democratica corre il rischio di essere relegata nel mondo delle cose passate per prestare omaggio formale a un ruolo che in molti desiderano solo ricordare.

Per questo motivo, prima di procedere alla pubblicazione di questo volume si è pensato a lungo circa i criteri metodologici da usare e l'impianto da dare a un'opera specifica dedicata a Giuseppe Di Vittorio, valutando a questo fine più opzioni: pubblicare gli atti della celebrazione ufficiale; commissionare a storici e studiosi un saggio; raccogliere una serie di testimonianze.

Si tratta di soluzioni già adottate singolarmente in differenti occasioni con risultati soddisfacenti; ma in questa circostanza specifica, a mio parere, c'era bisogno di qualcosa che attribuisse alla ricorrenza un significato diverso da quello che, prese separatamente, possono rappresentare le testimonianze o la pubblicazione di saggi.

In questo caso l'esigenza, e la preoccupazione principale, è stata quella di far incontrare una volta di più la Cgil con la sua storia, che per una parte notevole – sia qualitativamente sia quantitativamente – coincide con l'esperienza di vita militante di Giuseppe Di Vittorio. Non abbiamo la pretesa, o l'illusione, di *far rivivere* il suo pensiero nell'accezione ristretta delle idee che egli espresse, così legate al suo tempo, anche se in più occasioni egli si mostrò anticipatore arguto e coraggioso, ma certamente nutriamo l'ambizione di *attualizzare* il suo pensiero nell'accezione più ampia, dunque il suo orizzonte culturale, la sua filosofia, i suoi valori-guida.

In questo senso si è scelto di adottare una soluzione che permettesse di avvicinarsi il più possibile alla complessità di questo grande personaggio, accostando in una felice sintesi due fra le diverse opzioni possibili. Abbiamo perciò raccolto, nella prima parte, gli interventi tenuti durante la celebrazione ufficiale, come momento di rielaborazione concettuale di esperienze vive cariche di umanità, di insegnamenti mutuati dal lavoro quotidiano fianco a fianco, e nella seconda parte le ricerche e gli studi specifici come momento di riflessione più distaccata, avviata e maturata sui documenti, sulla saggistica storico-politica. Per ogni autore è stata indicata la carica che rivestiva o l'attività che svolgeva al momento della celebrazione del centenario.

In questo modo pensiamo si riesca a fornire un quadro più completo, a raggiungere il singolare risultato – al contrario di quanto avviene nella fotografia – di allargare i contorni e mettere meglio a fuoco i particolari.

Privi di accenti retorici, sebbene non di spunti lirici, né dogmatici né scettici, i materiali che qui proponiamo rappresentano, direi in modo esplicito, la volontà di arricchire i contenuti della propria storia e di confrontarsi con il proprio passato, anche e soprattutto dando spazio a interventi critici e tentativi originali di lettura del percorso politico-sindacale di Giuseppe Di Vittorio.

Parte prima

La memoria

Autonomia, solidarietà e protagonismo dei lavoratori: il messaggio morale di Giuseppe Di Vittorio

di Bruno Trentin [*]

Giuseppe Di Vittorio è morto nel 1957, in un periodo che sembra molto lontano da noi, dalle nostre vicende, dai problemi che il movimento sindacale italiano e il paese si trovano ad affrontare.

Eppure, soprattutto quanti non hanno avuto la fortuna di lavorare con lui, nella sua organizzazione, quando egli la dirigeva, avvertono ancora quanto grande e ricco sia il patrimonio umano, culturale e politico che egli ha lasciato al movimento sindacale italiano.

Io posso soltanto tentare di testimoniare su alcuni di quelli che mi sono sembrati i suoi apporti più rilevanti, in molti casi smarriti dalla memoria collettiva della nostra organizzazione. Essi forse hanno segnato maggiormente le persone che, come me, hanno avuto la fortuna di iniziare la milizia nel sindacato lavorando con lui, pur con differenze di età, di origine, di formazione così grandi.

Il primo tratto che ha pesato in tutta l'opera di Di Vittorio, come dirigente della Cgil, è quello che porta il segno incancellabile della sua origine sociale e politica: l'aver cominciato la milizia sindacale come bracciante, l'aver assunto il sindacalismo rivoluzionario come terreno sul quale organizzare e promuovere l'unità fra i lavoratori, la solidarietà tra i poveri, in una regione in cui le distinzioni tradizionali fra lavoro attivo, disoccupazione, sottoccupazione, precariato, lavoro stagionale erano affidate alla statistica, ma negate continuamente dalla realtà.

È maturata così sin dall'inizio in Di Vittorio una concezione del sindacato come solidarietà organizzata, che comprende l'intero universo del mondo del lavoro, ed essa non scomparirà mai nel corso del suo impegno successivo, anche quando avrà abbandonato il sindacalismo rivoluzionario, quando avrà partecipato alla

[*] *Segretario generale della Cgil*

11

direzione della Cgil, quando si sarà confrontato, negli anni del dopoguerra, con i nuovi, drammatici problemi di una società in trasformazione.

Voglio dire che questo intreccio, che era proprio delle leghe bracciantili nel meccanismo rivoluzionario, fatto di disciplina e anche di riti, di giuramenti intorno ad un progetto di solidarietà, questa concezione dell'universo dei lavoratori che coinvolgeva non soltanto gli occupati, ma gli stagionali, i precari, i pensionati, diventerà l'ossessione della sua opera, un'ossessione che si portava dietro sin dall'origine e che non ha mancato mai di tentare di testimoniare a chi voleva ascoltarla e comprenderla.

Certo, questa concezione ha attraversato, come ricordavo, periodi e trasformazioni sconvolgenti – basti pensare a quelle della ricostruzione nell'immediato dopoguerra e al dramma degli anni cinquanta –, ma ha costituito il filo rosso che può spiegare le scelte che allora ispirarono l'azione di Di Vittorio. Penso all'accordo sulla scala mobile associato al patto con la Confindustria per il blocco degli aumenti salariali e dei licenziamenti, in modo da ridare un filo di speranza ad un'Italia distrutta. Penso alla scelta, assolutamente eccentrica per un sindacalismo tradizionale, e anche per il sindacalismo di tutta la grande tradizione riformista, del piano del lavoro, i cui protagonisti dovevano essere proprio quelli che non lavoravano, non avevano un'occupazione e che esprimevano con il progetto, con la proposta, con l'alternativa realizzata sul campo la loro volontà di entrare a pieno titolo nella società civile.

Penso alla sua battaglia contro quelle che lui chiamava «le nuove forme di sfruttamento» che si diffondevano nella fabbrica serializzata nei primi anni cinquanta, e alla sua incessante lotta per associare la conquista di un diritto di rappresentanza dei lavoratori non iscritti al sindacato alla conquista di diritti individuali e collettivi, attraverso quello Statuto dei diritti dei lavoratori di cui fu l'alfiere inascoltato per oltre dieci anni.

Il sindacato della solidarietà nella lotta per il lavoro lo porta quindi ad una visione, anche qui, non tradizionale, non tattica: fuori dai dogmi della sinistra italiana, l'unità sindacale non era solo unità nella Cgil, ma unità con gli altri sindacati. Anche qui io credo che Di Vittorio sia andato oltre la stessa tradizione del sindacalismo rivoluzionario, delle sue origini, e del tradizionale sindacato degli iscritti, nei quali prevale molto spesso un'orgogliosa autosufficienza di organizzazione.

Di Vittorio sapeva associare, infatti, grande fermezza e passione nella difesa dei princìpi che riteneva fondanti di un sindacalismo di classe, e la solidarietà era il primo fra questi, con la lucida consapevolezza non solo della necessità, ma dei valori creativi di nuova cultura, di nuova strategia, contenuti nell'unità sindacale, da costruire e da ricostruire incessantemente. Al bisogno di trasparenza nella discussione, a volte aspra, con le altre organizzazioni egli sapeva, con insistenza e con affanno, associare sempre la proposta unitaria, perché vedeva in essa la garanzia, la sola garanzia di una prospettiva.

La sua concezione unitaria era cioè il contrario della logica settaria, della separazione che precede la lotta per il sopravvento di un'organizzazione sull'altra, di un sindacato sull'altro, di una fazione sull'altra.

E quando oggi qualche «dannunziano» del sindacalismo arriva a parlare, in questi tempi, dell'unità sindacale come di un disvalore confesso che, al di là del dissenso, sorge in me l'angoscia per la perdita di memoria storica – che investe non soltanto alcune persone, ma gran parte di questo sindacato – e per il rischio che vengano disperse la fatica di Di Vittorio, la sua lotta per l'unità, l'umiltà con la quale egli ricercava, anche nei momenti più duri e più difficili, il rapporto con gli altri, l'unità con gli altri.

Il secondo aspetto che mi pare emerga da tutta la sua vita, dal suo lavoro, e che conferiva a questo lavoro anche un'ansia costante di conoscere, è dato dalla sua straordinaria curiosità per il mondo che cambia e, nel mondo che cambia, per gli altri, per gli uomini, le donne, le persone protagoniste di questo cambiamento.

Una delle cose che più hanno marcato, io credo, la fatica di Di Vittorio come dirigente della Cgil è stata questa comprensione sofferta del nuovo, che finiva sempre con l'avere il sopravvento su ogni altra cosa e con il contrapporsi ad ogni forma di autosufficienza, ad ogni primato di organizzazione, o al cosiddetto primato della salvaguardia della propria identità, anche contro la realtà che cambia. Sono questi i mali, le chiusure che hanno portato ricorrentemente alla sclerosi della democrazia nelle organizzazioni sindacali, nelle forze politiche, alla sclerosi delle ideologie, all'inevitabile riflusso, nei momenti bui, verso un corporativismo intrinsecamente autoritario, proprio perché si definisce in contrapposizione con gli altri.

A ben vedere, questa sua curiosità, questa sua attenzione, questa sua percezione del cambiamento costituirono le radici culturali della sua peculiare concezione dell'autonomia del sindacato, una concezione che andava ben oltre il superamento delle vecchie cinghie di trasmissione, proprio perché si trattava di un'autonomia culturale vissuta in primo luogo nella sua esperienza di dirigente, un'autonomia che nasceva dal vissuto di un'esperienza sindacale in Italia e nel mondo, con le sue vittorie e le sue tragedie, e che lo portava a scontrarsi concretamente, duramente, con tutti i tabù e gli interdetti che pure facevano parte della sua formazione politica. Solo così possiamo capire la sua capacità di cambiamento anche radicale delle proprie posizioni, ma prima di tutto delle proprie convinzioni di fronte alle lezioni della storia.

Chi ricorda la sofferta battaglia che lo oppose alla direzione del Partito comunista italiano, al momento dei fatti di Ungheria, si ricorderà che prima di quella battaglia, all'inizio del 1956, Di Vittorio assunse una posizione durissima nei confronti della repressione dei movimenti popolari, degli scioperi in Polonia, affermando pubblicamente e in un'assise internazionale (quella della Federazione sindacale mondiale) il diritto inalienabile dei lavoratori organizzati di decidere sulla distribuzione delle risorse fra investimenti e consumi, come base di qualsiasi tipo di democrazia.

Solo così possiamo comprendere come su questioni cruciali, come il piano Vanoni o la prima sperimentazione della Cassa per il mezzogiorno, Di Vittorio, pur mantenendo posizioni estremamente critiche, si sia dissociato nei fatti e anche nel voto in Parlamento dalle posizioni del suo partito, appunto per non negare la possibilità di far crescere esperienze nuove.

Soprattutto non si capirebbe quella che è stata forse la pagina più straordinaria della sua vita di dirigente sindacale: la svolta nel 1955-1956, dopo la sconfitta alla Fiat. Di Vittorio si confrontò, allora, con un organismo dirigente della Cgil e, credo, con il senso comune della maggioranza degli iscritti alla Cgil, con l'orgoglio di un'organizzazione ferita in cui tanti dirigenti individuavano nella repressione padronale che infuriava con centinaia di licenziamenti discriminatori, nell'avanzare insidioso del paternalismo aziendalistico del padrone, le cause fondamentali di quella sconfitta.

14

Tutto questo c'era, ma per Di Vittorio la sola cosa sulla quale far leva di fronte ad una sconfitta di quella dimensione era la capacità della Cgil di dare risposta ai problemi della condizione operaia nella grande fabbrica, che nessuna politica generale per l'occupazione o per il salario poteva assorbire o cancellare. Egli avvertiva che la sola cosa da fare in quella occasione, al di là di retoriche espressioni di orgoglio e di rabbia, era indagare sugli errori che la Cgil poteva aver commesso, sui suoi ritardi, e correggerli.

E questo fece, sfidando con la sua autorità morale, con la sua passione umana, la grande maggioranza del gruppo dirigente della Confederazione.

Tutta la strategia della Cgil fu messa in questione, partendo dalla consapevolezza dell'impossibilità di separare ormai la riconquista di una solidarietà di classe dalla conquista di nuovi diritti e di nuovi poteri nei luoghi di lavoro: la contrattazione collettiva, la contrattazione articolata, come parte di una strategia generale del sindacato, di un'alternativa positiva, unificante nei confronti dei pericoli certamente esistenti di chiusura e di corporativismo aziendalistico, presenti nelle concezioni allora dominanti nel grande padronato ma anche, in una certa misura, nella cultura di altri sindacati. Una cultura tutta incentrata su una concezione della partecipazione dei salariati al guadagno derivante dall'aumento della produttività aziendale, prescindendo, nel bene o nel male, dai connotati specifici della condizione operaia, della sofferenza operaia, della dignità operaia nel luogo di lavoro. La scelta della Cgil sul ruolo primario della contrattazione decentrata comincia da qui, da questa svolta che Di Vittorio seppe compiere, negando una gran parte del passato che lui stesso aveva contribuito a costruire.

È rimasto, infine, nella testa e nel cuore di molti di noi il ricordo di un uomo, della sua capacità di immedesimarsi senza riserve nelle scelte che proponeva, nelle loro implicazioni, di pagare con tutto se stesso ogni decisione, ogni proposta, ogni richiesta di sacrificio. E lo faceva in nome di una più alta solidarietà del mondo del lavoro, con una passione, una sofferenza, un'implicazione di sé che dava al suo linguaggio, anche quando esso diventava crudo e brutale, un'autenticità sconvolgente, che probabilmente noi abbiamo perduto.

Voglio ricordare un'esperienza personale che feci al congresso della Fsm nel 1954.

Di Vittorio era relatore su «Problemi e obiettivi dei movimenti sindacali nei paesi del terzo mondo» e la sua relazione aveva incontrato un dissenso che sembrava insuperabile in tutti i sindacati dei paesi dell'est e anche nei sindacati di tradizione comunista di molti paesi dell'occidente. La bestemmia era quella di parlare di un movimento sindacale capace di mettersi alla testa di una grande azione di riforma agraria e di industrializzazione, di un sindacato protagonista: una bestemmia perché, dovunque, in tutti i continenti, alla testa non ci può essere che il partito; il sindacato viene dopo.

Malgrado una sofferta discussione, intrisa di penosi dogmatismi, protrattasi per tutta la notte, lui fece la sua relazione, e la fece a modo suo, tralasciando completamente gli appunti, gli scritti, il lavoro di tanti giorni, e proponendo a quel congresso, ma soprattutto ai tanti lavoratori del terzo mondo, dell'Africa, dell'Asia, dell'America latina, il suo sindacato come forza d'avanguardia, come sindacato della riforma agraria, come sindacato dell'industrializzazione, come sindacato del governo dell'economia nella democrazia.

Lo fece a modo suo, chiamando i delegati al congresso a rispondere al suo appello e dicendo: «Vedo davanti a me tante facce, vedo dei neri, vedo di quelli che sono proprio neri neri; vedo dei bianchi, dei gialli, dei mezzi neri come me, ma tutti insieme, con voi, siamo il sindacato di domani».

E il congresso impazzì, nell'imbarazzo o nella stizza dei burocrati del sindacalismo internazionale, di fronte a questo spettacolo di liberazione umana, a un linguaggio così semplice, ma con il quale appunto Di Vittorio si metteva in mezzo agli altri.

Così io ricordo Di Vittorio: un grande dirigente che sapeva in ogni momento mettersi in questione, rimettersi in mezzo agli altri, con i loro problemi, le loro angosce e le loro speranze, e farli propri. Anche per questo ognuno di noi ritrovava allora, ed erano tempi durissimi, anche nei momenti più amari, le ragioni di una milizia, di un lavoro, di un'attività di servizio. Dobbiamo forse riuscire a ritrovare nella Cgil di oggi, certo con altre parole, il linguaggio di Di Vittorio e la funzione morale che il messaggio di Di Vittorio assume.

Un sindacalista, la politica, la patria

di Vittorio Foa [*]

Se uno si domanda che cosa resta dell'insegnamento di Di Vittorio, a prima vista può anche dirsi che ne deve restare poco perché la formazione materiale, morale e culturale dell'uomo fu tutta radicata in una società agricola, che adesso è dietro le nostre spalle. Anzi, la società industriale che ha preso il suo posto mostra adesso volti completamente nuovi.

Per quanto riguarda la formazione strettamente politica, almeno a partire dal 1920, si trattò di una politica di partito, socialista e poi comunista, ma soprattutto comunista, e anch'essa oggi non ci mostra punti di riferimento idonei per costruire un'eredità culturale.

Di Vittorio era certamente un uomo del suo tempo, ma era anche altro: aveva qualcosa di diverso che era la percezione profonda della realtà come conflitto, e allo stesso tempo la non accettazione della realtà come puro conflitto, che comportava lo sforzo di trovare livelli diversi.

In questa sala ci sono alcuni, pochissimi ormai, che hanno avuto il privilegio di lavorare a lungo con Di Vittorio e di ricavare molto da lui, come Lama e Trentin. Chiedo a loro se è vera l'immagine che io ho di quell'uomo, del volto di quell'uomo: era capace sempre di analizzare il conflitto e la protesta per la condizione che veniva creata, ma il volto – qualunque fosse il problema, grande o piccolissimo – si concentrava tutto nella ricerca del «che fare, cosa dobbiamo fare per uscire di qui?».

Mai egli si chiudeva nella protesta, anche se sapeva protestare duramente, e come! Il suo impegno era tutto nel vedere come andare avanti. Vorrei offrire alcuni esempi che ho molto forti nella memoria. Il primo è il Patto di Roma. Esso è ricordato come

[*] *Studioso dei problemi del lavoro*

il patto dell'unità, è vero, e io non dirò nulla sull'unità in quanto già Trentin ha detto delle cose che non ho bisogno di ripetere, l'unità è una costante speranza. Ma il Patto di Roma era anche un'altra cosa: la costruzione di un sindacalismo che aveva dei riferimenti molto precisi nella politica, nei partiti, era stato costituito su iniziativa dei partiti. Noi sappiamo che poi lo sviluppo delle cose è stato molto complesso, vi sono state lunghe fasi di conquista dell'autonomia, con difficoltà di ogni genere, e oggi sotto questo profilo il Patto di Roma è indubbiamente esaurito, perché la sinistra politica, quale era uscita dalla Resistenza, oggi non esiste più nella sua forma di allora. E dunque qual è il punto di riferimento?

Se si vanno a leggere i lavori preparatori del Patto di Roma, le lunghe lettere, i lunghi documenti che Di Vittorio scrisse sulla formazione del Patto, si avrà un'idea precisa di quello che deve essere il punto di riferimento, anche quando la sponda partitica viene meno. Il punto di riferimento è proprio l'idea del lavoro, la ricerca del rapporto con il lavoro.

Questo è il dato costante che si ricava dalle lettere di Di Vittorio quando costruisce il Patto di Roma, quando costruisce il sindacato e resiste alle linee corporative, chiedendo sempre che il sindacato abbia un solo referente, cioè i lavoratori. Tutto ciò poi si conclude con il primo comma dell'articolo 39 della Costituzione: «l'organizzazione sindacale è libera».

Che cosa vuol dire che l'organizzazione sindacale è libera? Non che un partito o uno Stato la devono organizzare, ma che i lavoratori, tutti, sono liberi di organizzarla, senza privilegi e senza discriminazioni: questo mi pare il punto che nasce dai lavori preparatori del Patto di Roma e dalla Costituzione.

Questo riferimento al lavoro, come fonte del diritto e dell'esperienza sindacale, è quello che poi trova l'espressione più alta al termine della vita di Di Vittorio – l'ha ricordato Trentin – nel 1956. Nel dibattito – purtroppo molto sommario e burocratico – della riunione che la direzione del partito comunista tenne per deplorare Di Vittorio, in base alla posizione che aveva preso sull'invasione dell'Ungheria, è molto interessante – nonostante la brevità burocratica della registrazione – il fatto che, di fronte ad un'unanimità di compagni che dicevano che in un paese socialista non ci può essere insurrezione, la risposta di Di Vittorio era molto semplice. Egli diceva: «Se avessi visto gli operai ungheresi accanto alle truppe di invasione, ci avrei pensato su, ma gli operai erano da questa parte».

Il punto di riferimento che egli aveva allora era certamente la democrazia, la democrazia in generale, ma erano anche i lavoratori, la classe operaia, ed è questo, a mio giudizio, il punto di riferimento costante nella vita sindacale.

Vorrei toccare un altro punto dell'esperienza di Di Vittorio, un punto sul quale ho avuto il privilegio di lavorare a lungo con lui, insieme con Lama, con Trentin e con altri, cioè il Piano del lavoro. Naturalmente oggi si possono avere sul Piano del lavoro dei giudizi critici *ex post* molto limpidi. Il piano era molto al di sotto – in realtà – delle possibilità che c'erano nell'economia italiana: centrava tutto su un programma di lavori pubblici, mentre lo sviluppo dell'Italia degli anni cinquanta e sessanta è stato fondamentalmente industriale. Insomma tutte queste cose sono molto chiare.

Ma il Piano del lavoro che cos'è stato? È stato un tentativo di dare una risposta positiva alla posizione fino allora assunta di pura resistenza, di pura rigidità. C'erano molti licenziamenti, trasformazioni industriali in corso, c'era un problema drammatico di occupazione: la disoccupazione era altissima ed era la vera protagonista della vita sociale italiana del tempo. Eravamo tutti portati, fatalmente, a difendere tutto quello che c'era, perché c'erano creature umane che andavano difese, che venivano colpite nel loro lavoro, ma Di Vittorio andò oltre e disse: «Sì, certo, c'è la difesa dell'uomo che viene colpito, ma c'è anche il progetto collettivo di tutti». E il Piano del lavoro era una proposta per tutti, non solo per quelli che erano colpiti, e ribaltava il discorso portandolo ad un livello diverso: esprimeva l'esigenza di una risposta che fosse capace di dare progresso non soltanto a chi lo chiedeva, ma a tutti. Mi sembra che questo sia rimasto uno dei punti centrali della sua esperienza e che vada tenuto molto in conto anche oggi.

Io non ho nessun consiglio da dare, ma, pensando a quell'esperienza, credo che il vero problema che oggi si pone ad un'organizzazione sindacale non sia la difesa pura della rigidità, anche se tutti i problemi della professione, della tutela vanno posti in evidenza, ma quello di cambiare la qualità della nostra struttura produttiva.

19

Oggi la nostra crisi, certo, è in parte congiunturale, ma è anche in gran parte strutturale, indica il livello arretrato delle nostre capacità competitive con i paesi più avanzati ed è su questo che l'intervento è necessario: non si tratta di difendere quello che c'è, ma di cambiare introducendo elementi di forza, di qualità nel cambiamento.

Potrei dire molte altre cose su Di Vittorio, sul suo patriottismo. La parola «patriottismo» non ha più corso, ma allora era una parola vera: quando si parlava dell'Italia il suo cuore si scaldava, era una cosa impressionante! Di Vittorio raccontava il suo ritorno in Italia, nel 1942: le guardie tedesche lo consegnano ai carabinieri italiani e lui si aspetta chissà quali torture, mentre la prima cosa che fanno i carabinieri è di offrirgli la pastasciutta e lui pensa: «È l'Italia!». Vedeva nell'Italia l'umanità. Quando concluse l'accordo globale con la Confindustria, disse che quella era la prima manifestazione di unità italiana, perché vedeva in questo accordo la lotta contro il corporativismo e contro il sezionalismo aziendale.

Vi erano in lui questi sentimenti, ma qualcosa di più ancora: il calore umano, su cui Trentin ha detto cose molto giuste e anche molto commoventi, la capacità di animare i sentimenti più profondi dell'umanità, di sollecitare orizzonti nuovi agli occhi dell'umanità sofferente. Qualche volta a me pareva di vedere anche qualcosa che andava al di là della mia esperienza puramente laicistica, ristretta all'evidenza empirica.

Un uomo attento e sensibile, come Zaccagnini, una volta mi disse: «Quando Di Vittorio è morto, io ho pianto. Sono convinto che è in paradiso». Quella frase mi rimase, che cosa voleva dire? Voleva dire che nel suo linguaggio, nei suoi occhi, nel suo atteggiamento c'era un rispetto profondo anche per quelli che non avevano le sue idee, c'era un rispetto per tutti e c'era anche una ricerca tutta terrena, ma che sapeva andare al di là dell'evidenza di ogni momento.

Se devo riassumere in una frase qual è stato per me l'insegnamento profondo di Giuseppe Di Vittorio, ebbene, mi sembra questo: se tu vuoi difendere bene te stesso, il tuo gruppo, la tua classe, hai un solo modo, quello di saper difendere anche gli altri, saper difendere tutti.

Tradizione e innovazione nel pensiero di Giuseppe Di Vittorio

di Luciano Lama *

Parlare di Di Vittorio a trentacinque anni dalla sua morte è parlare a tanti che non lo hanno conosciuto, anche se molti hanno forse sentito narrare di lui.

Possiamo farlo con qualche distaco anche noi che, per il tanto tempo intercorso, siamo in grado di misurare meglio l'opera sua e di giudicarla più liberi dai sentimenti e dagli affetti che a lui profondamente ci legarono. Ma vi assicuro, cari amici, che, nonostante lo sforzo, un giudizio critico, oggettivo, in questa mia testimonianza, mi riesce anche oggi difficile. Di questo limite noi testimoni dobbiamo essere consapevoli. Ma volendo esprimere un parere sintetico sul capo sindacale e sull'uomo politico, sempre più mi convinco che Di Vittorio è stato il sindacalista che più di tutti ha contribuito a fare del sindacato un pilastro essenziale della democrazia e dell'unità del paese.

Egli concepiva il sindacato come sindacato generale, di tutti i lavoratori «del braccio e della mente» – come ripeteva spesso – e si sforzava affinché ogni piattaforma, ogni rivendicazione si collocasse nella cornice a lui sempre presente degli «interessi generali». Per questo nessuno più di lui combatté le politiche corporative, localistiche e aziendalistiche, tanto da incorrere qualche volta in errori poi corretti con fatica e con conseguenze anche non lievi. A questo riguardo voglio ricordare uno di questi errori: eravamo nel 1949, al congresso della Cgil di Genova. Un punto all'ordine del giorno, che io stesso come relatore sviluppai con tutta la convinzione, verteva sul diritto di contrattazione aziendale.

Si partiva dal presupposto che in fabbrica i pericoli di una contrattazione finta, subordinata alla pressione padronale ed esposta

* *Vicepresidente del Senato*

agli accordi separati – in quegli anni praticati dalle altre confederazioni –, fossero tali da negare alle sezioni sindacali di fabbrica il diritto alla contrattazione, e che quindi si dovesse affidare tutto il potere contrattuale alle istanze esterne. Intendiamoci: i pericoli allora esistevano, ma questa posizione, che aveva alla radice una sorta di sfiducia nella capacità di autonomia dei lavoratori di fronte alla diretta controparte, non solo privava il sindacato della propria più profonda legittimazione, ma ne riduceva la forza offensiva e la tempestiva capacità di agire. A questo errore si devono imputare in buona parte il progressivo indebolimento della Cgil nella prima metà degli anni cinquanta e le sconfitte successivamente subite nella contrattazione e poi nelle elezioni delle commissioni interne.

Ma dopo le sconfitte alla Fiat e in alcune altre grandi fabbriche, ecco manifestarsi la grandezza e il coraggio di Di Vittorio. In un famoso comitato direttivo della Cgil Di Vittorio, come ha ricordato Trentin, riconobbe l'errore e prese anche su di sé la responsabilità di ciò che era avvenuto, indicando lucidamente la via da percorrere per restituire alla Cgil la capacità di azione e l'iniziativa che si erano tanto affievolite. Di Vittorio, polemizzando coi tanti fra noi che addossavano solo all'offensiva padronale gli insuccessi riportati, sostenne con foga che la causa essenziale dell'indebolimento della Cgil doveva cercarsi nei nostri errori e nell'allentamento dei rapporti tra il sindacato e i lavoratori.

Per far capire ai giovani e meno giovani d'oggi quanto Di Vittorio avesse presenti le esigenze generali voglio citare un altro episodio. Nell'ottobre 1948 il compagno Santi ed io rappresentammo la Cgil a Parigi al congresso della Cgt. Avevamo appena firmato un nuovo accordo sulla scala mobile. E i compagni della Cgt, con alla testa i segretari generali, Benoit Frachon e Alain Le Leap, ci attaccarono aspramente in un incontro durato quasi una notte intera. Essi partivano dal presupposto che il mantenimento del potere d'acquisto dei lavoratori era una pericolosa illusione, poiché in un sistema capitalistico il livello di vita operaio non può che peggiorare, secondo lo schema dell'impoverimento assoluto. E aggiungevano poi che la scala mobile avrebbe avuto un effetto depressivo sui lavoratori e ridotto la loro capacità di lotta.

Io stesso e ancor più quel grande polemista e straordinario sindacalista che fu Fernando Santi rispondemmo che bastava guardarsi attorno e ripensare al passato per constatare quanto schematica e assurda fosse la teoria dell'impoverimento assoluto e negammo che la combattività dei lavoratori italiani potesse venire minimamente scalfita da un meccanismo salariale che adeguava almeno in parte i salari all'andamento del costo della vita. Gli anni successivi dimostrarono che avevamo ragione.

Quando tornammo a Roma e riferimmo a Di Vittorio questa discussione, egli rispose che, conoscendo gli interlocutori, non si meravigliava delle loro critiche, ma poi ci stupì con un'affermazione: «E perché – disse –, se fosse anche vero che la scala mobile riduce un po' la combattività dei lavoratori e permette al nostro disgraziato paese di sanare più rapidamente le sue ferite, non sarebbe questo un vantaggio per tutti, lavoratori compresi?». E approfittò dell'occasione per ripetere un concetto che gli era caro: «I lavoratori non sono un corpo estraneo confitto a caso nella nazione; sono una parte di essa, la più povera, quella che produce, e devono diventare sempre più coscienti della loro funzione storica di costruttori di una società migliore».

Può sembrare strano, e per certi aspetti lo è, che un uomo come Di Vittorio, che proveniva dal sindacalismo rivoluzionario, avesse così acuto e sempre presente il senso dello Stato come espressione giuridica ed etica di una comunità democratica, dotata di regole che, finalizzate all'interesse generale, devono essere rispettate da tutti.

Nelle scelte rivendicative Di Vittorio soppesava l'entità delle richieste non solo in termini assoluti, ma anche nel rapporto fra una qualifica e l'altra, fra un settore e l'altro. E ciò per non provocare eccessivi squilibri che avrebbero potuto produrre rotture o frizioni fra gli stessi lavoratori. Anche a questo riguardo mi soccorre un ricordo personale: nel 1949, se non sbaglio, con una lunga trattativa stipulammo con gli industriali elettrici – che allora erano privati – l'accordo per le pensioni.

Il risultato era brillantissimo, poiché si istituivano pensioni vicine all'ultima retribuzione, quando – per gli altri lavoratori – eravamo ancora al sistema degli adeguamenti di 1000 o 2000 lire ogni due-tre anni e molti erano addirittura privi di ogni protezione perché, pur avendo lavorato, non avevano ottenuto il pagamento dei contributi da parte dei padroni. Quando, come rappresentante della segreteria confederale in quella trattativa, portai a

Di Vittorio questo risultato con molto orgoglio, il suo giudizio fu: «Il successo è grande, forse troppo grande. Quanto tempo impiegheranno gli altri lavoratori per arrivare a tanto? Un'avanguardia che apre la strada avvantaggia il grosso dell'armata, ma un'avanguardia che va tanto avanti e si isola dal resto, rischia l'accerchiamento e non porta alcun vantaggio alla lotta comune». Io non so se Di Vittorio avesse in quel caso ragione, so che ci sono voluti più di trent'anni per portare gli altri lavoratori a una pensione ancora oggi inferiore a quella degli elettrici, anche se questi ultimi, forse accerchiati, non furono mai costretti alla resa.

Non vorrei che queste mie parole dessero la sensazione che Di Vittorio fosse un moderato, un uomo accomodante e quasi rinunciatario. La sua autonomia rispetto alle controparti era davvero totale e nessun lamento della Confindustria aveva il potere di commuoverlo. La ragione vera delle sue scelte, talvolta apparentemente troppo ragionevoli e moderate, era che egli guardava sempre alla parte più povera, ai deboli, a coloro che non avevano neppure voce per gridare la loro protesta.

I disoccupati, i pensionati, i lavoratori senza pensione, i peggio pagati erano in cima ai suoi pensieri e, per questo, una iniziativa come il Piano del lavoro, che, con tutti i suoi limiti, riassumeva così felicemente i suoi fini di ammodernare e sviluppare l'economia portando civiltà e lavoro dove non c'era e di moltiplicare l'occupazione, è rimasta nella storia sociale italiana come pagina luminosa.

Il classismo di Di Vittorio si poneva dunque agli antipodi delle concezioni settoriali e corporative che pure hanno fatto tanto forti sindacati di altri paesi occidentali, ma si distingueva pure da quel classismo tradizionale, anche di molti riformisti, che concepiva i lavoratori dipendenti come un gruppo a sé stante, del quale promuovere l'emancipazione sociale e culturale in perenne e insuperabile antagonismo con ogni altra parte della società. Di Vittorio conosceva questo antagonismo e le sue asprezze, ma non limitava la propria visuale alle esigenze dei lavoratori dipendenti, cercava di armonizzarle con le necessità di progresso, di sviluppo del paese.

In sostanza, quando si discuteva di una piattaforma e del «rapporto di forze» necessario per conquistarla, egli si poneva non una sola, ma due domande: «Abbiamo la forza necessaria per ottenere questo risultato?»; e anche: «Queste rivendicazioni rispondono anche alle esigenze di avanzata della società di cui siamo parte?».

In questo suo modo di pensare troviamo la radice dell'indirizzo sindacale, ma anche l'orientamento di fondo che ispirava Di Vittorio come uomo politico, militante di un partito nel quale, pur fra molti contrasti, aveva acquisito grande autorevolezza e prestigio.

Per queste ragioni, per questa sua aspirazione profonda a servire la nazione italiana oltre che per dare forza ai lavoratori, Di Vittorio fu assertore convinto dell'unità sindacale e soffrì sempre come una sconfitta anche personale le scissioni che si verificarono nel 1948 e nel 1949.

A chi, come me e tanti altri, consideravano l'uscita dalla Cgil della corrente cristiana e poi dei socialdemocratici e dei repubblicani come una sorta di liberazione dagli impacci che nei primi anni del dopoguerra avevano frenato una più audace politica rivendicativa egli rispose, anche adirato, che non vedevamo i guasti, le conseguenze negative di quella divisione che avrebbe indebolito tutto il movimento sindacale e affievolito la sua capacità di difendere i lavoratori e di pesare, come forza progressista, nelle vicende politiche nazionali.

Di questi insegnamenti, dell'opera di Di Vittorio è rimasto qualche cosa nel sindacato? A me pare di sì, anche se i tempi sono tanto cambiati e coi tempi gli uomini e anche i lavoratori e il loro modo di pensare. I problemi ch'egli si poneva non sono stati risolti, alcuni anzi si sono aggravati.

Ma oltre ai progressi, ai grandi miglioramenti della condizione sociale dei lavoratori, che devono costituire ragioni di orgoglio del sindacalismo italiano, possiamo affermare che il sindacato confederale, in particolare la Cgil, persegue nella sua maggioranza politiche di unità e ha piena coscienza dei danni che per tutti rappresenta la divisione delle forze sindacali.

E la linea seguita nella difesa degli interessi e nella definizione dei diritti dei lavoratori apre dialettiche e confronti nei quali interessi generali, specie quelli dei più deboli, hanno grande incidenza.

Il lavoro sindacale è difficile e lo è sempre stato, specie quando si ispira a questi criteri, a sentimenti di solidarietà che partono dall'uomo per emanciparlo nella condizione sociale e nella coscienza di sé. Si trovano da una parte gli interessi costituiti dalle controparti che resistono, dall'altra gli impazienti, gli egoisti anche, coloro che non vedono, non vogliono vedere, i bisogni elementari di chi sta dietro ed è impotente a difendersi.

Ma proprio in queste difficoltà, in questo scegliere quotidiano una strada ardua, qualche volta impopolare, sta la bellezza, il fascino per me indimenticabile, senza uguali, del lavoro sindacale. Perché – come Di Vittorio ci ha insegnato – il sindacato non è soltanto una fabbrica di politiche rivendicative; esso è anche una scuola di vita, una sorgente di cultura, uno strumento di emancipazione civile e morale della gente che lavora.

Sindacato di classe e istituzioni: libertà sindacale e diritto di sciopero

di Gino Giugni [*]

Non ho mai conosciuto Di Vittorio se non indirettamente, in lontananza, come un momento fondamentale nel percorso dell'elaborazione della mia tesi di laurea, perché feci una tesi sul diritto di sciopero, che era forse il primo studio che veniva elaborato sull'argomento. I materiali di dottrina e di giurisprudenza, come noi diciamo, erano quasi inesistenti, ma esisteva una splendida relazione di Di Vittorio alla terza sottocommissione della commissione dei 75 che elaborò la Costituzione, e su ciò fissai la massima parte della mia attenzione.

Vi sono due aspetti che voglio ricordare a questo proposito. Come tutti sanno, la Costituzione in materia di rapporti sindacali è molto sobria, si limita a due articoli. Questi due articoli furono scritti non so se in modo amanuense o per ispirazione, ma furono scritti nel quadro delle idee proprie di Giuseppe Di Vittorio.

Il riconoscimento della libertà sindacale, così com'è contenuto nel primo comma dell'articolo 39, oggi appare quasi scontato perché dire che c'è la libertà sindacale o che c'è l'organizzazione sindacale, oppure che l'organizzazione sindacale è libera è una verità corrente, eppure va tenuto conto del fatto che allora tra le forze democratiche c'era una profonda divisione sul modo in cui si sarebbe collocato il sindacato nel sistema sociale da costruire. La dottrina cristiano-sociale, che aveva trovato espressione prima in Achille Grandi, irrorava ancora la visione del sindacato libero nella categoria organizzata, quindi di un sindacato inserito nell'ambito di strutture pubbliche.

La posizione dei socialisti era molto variegata, ma non dimentichiamo che in un documento importante di Bruno Buozzi, pochi mesi prima della sua morte, si proponeva la costruzione di un

[*] *Senatore, presidente del Psi*

sistema di consigli e di rappresentanze munite di riconoscimento giuridico, che richeggiava certi aspetti e certe costruzioni che erano state tipiche della Repubblica di Weimar e delle idee che avevano contribuito a conformare quel modello di assetto di rapporti.

Di Vittorio scelse una via più semplice, quella del sindacato come associazione, che si autotutela come associazione, un'idea che ebbe sviluppi importanti perché sull'articolo 39, così com'è concepito nelle sue linee essenziali, in pratica si costruì negli anni e nei decenni successivi tutto quanto il sistema che è stato proprio della nostra esperienza di rapporti sindacali.

E fu una visione, quella di Di Vittorio, probabilmente non prevista dallo stesso protagonista, che preparò poi il terreno alle grandi spinte verso l'unità sindacale, perché era la stessa visione verso la quale si stava lentamente evolvendo il sindacalismo cattolico, il sindacalismo socialista.

Se negli anni sessanta si gettarono le basi di quell'ambizioso, ma non del tutto fallito, disegno che fu l'unità sindacale, ebbene, una premessa importante, un primo passo fu compiuto nel 1947, quando furono elaborate queste norme.

E vero, ci sono poi altri punti non attuati nell'articolo 39 della Costituzione, ma io tendo a considerarli come una variante tecnica di un obiettivo che si voleva raggiungere: la validità generale dei contratti. La loro mancata attuazione non ha tolto significato né valore a quell'importantissimo 1° comma: il precetto di proclamazione della libertà.

Vengo al diritto di sciopero, che è l'aspetto in cui il pensiero di Di Vittorio emerge nel modo più originale e personale. Di Vittorio ne svolge un'appassionata ricerca: «Lo sciopero – dice – è un'arma decisiva per i lavoratori, per difendere il proprio pane e i propri diritti». Lo sciopero, come lo vede Di Vittorio, è un diritto di tutti, e qui emerge una linea di interpretazione che sarà poi accettata e creerà anche qualche problema: lo sciopero è un diritto di titolarità individuale, si estende a tutte le categorie, nessuna può esserne privata. Tutti i lavoratori hanno il diritto di sciopero.

Lo sciopero va riconosciuto, la serrata no. Questa fu una novità a cui la dottrina giuridica del tempo non era per niente preparata; Di Vittorio e i costituenti ne precorsero il passo e la costrinsero poi a elaborare appropriate costruzioni giustificative. Lo sciopero, però, e questo è il punto che vorrei più sottolineare, richiede un uso responsabile e trova il limite nella salvaguardia dell'interesse generale. «Mai uno sciopero per lo sciopero», disse Di Vittorio in una relazione del 1948. Lui, comunista, in gioventù sindacalista rivoluzionario, ci diceva che lo sciopero non è una ginnastica rivoluzionaria.

E poi la tutela dell'interesse generale deve essere compiuta avendo ben presenti i conflitti che si possono generare fra le stesse categorie dei lavoratori quando lo sciopero investe l'interesse generale. E qui mi sia consentita una citazione: «L'affermazione di questo principio di riconoscimento del diritto di sciopero non può significare che non si debba tener conto delle obiezioni cui abbiamo accennato; dato il fatto che lo sciopero in un servizio pubblico può danneggiare un gran numero di persone estranee alla vertenza, occorre una remora che ne freni l'uso e ne eviti gli abusi, ma questa remora non può consistere nel diniego di un diritto incontestabile, bensì nella coscienza civica degli stessi lavoratori dei servizi pubblici, i quali sono consapevoli delle conseguenze particolarmente gravi del loro sciopero. Un'altra remora spontanea è costituita dall'interesse che hanno i lavoratori di altre branche di lavoro ad evitarne gli abusi, dato che sarebbero fra i danneggiati». E qui fa riferimento diffuso a un articolo dello Statuto della Cgil che prevede particolari modalità per la proclamazione dello sciopero nei servizi pubblici.

Credo che, portando al presente questa visione, forse anche la definizione dello sciopero come data da Di Vittorio potrebbe essere leggermente corretta: «Serve a difendere il proprio pane», la fraseologia forse è un po' arcaica; «Serve a difendere i propri diritti», fraseologia molto moderna; «Non dovrebbe servire a difendere i propri privilegi», questo soprattutto. È affidato al senso di responsabilità dei lavoratori, delle categorie, delle loro organizzazioni.

Quando siamo giunti, dopo più di quarant'anni, ad approvare una legge sul diritto di sciopero, questa legge si ispira a questo criterio: la forma sarà diversa, il contenuto è interattivo perché si tratta di una legge, ma la struttura è tutta fondata sul consenso, consenso nell'elaborazione del testo, consenso nell'implementazione della legge stessa, perché è tutta basata su una sequenza e su una rete di accordi sindacali, in gran parte stipulati, in parte da stipulare.

Chiuso questo capitolo, ne apro un altro, molto brevemente, perché è molto più attuale e lo sentiamo ancora vivo, cioè lo Statuto dei lavoratori. Troppo se ne è parlato, troppo ne ho parlato anch'io, vorrei farne parlare soltanto un momento lo stesso Di Vittorio: «Tutta l'esperienza storica, non soltanto la nostra, dimostra che la democrazia c'è nella fabbrica e c'è anche nel paese e, se la democrazia è uccisa nella fabbrica, essa non può sopravvivere nel paese. Noi dobbiamo difendere la democrazia nella fabbrica, il che non vuol dire che vogliamo sottrarre i lavoratori a ogni disciplina di carattere produttivo-professionale, no, il lavoratore deve compiere il proprio dovere nell'azienda, non deve distrarsi dai suoi doveri, ma nelle ore libere dal lavoro ha il diritto, anche all'interno dell'azienda, di conservare le sue idee, di propagandarle, di diffondere la stampa che vuole, di svolgere il lavoro sindacale, in una parola deve essere considerato un uomo libero, non uno schiavo».

Questo fu al congresso di Napoli del 1952, il capitolo si chiude con questa frase: «Noi, perciò, sottoponiamo all'approvazione del congresso il testo di uno Statuto dei diritti della libertà e della dignità dei lavoratori nell'azienda, che proporremo alle altre organizzazioni sindacali».

Il primo atto concreto fu la legge sui licenziamenti individuali del 1966. Seguì la legge sulla tutela della libertà, della dignità dei lavoratori, chiamata impropriamente, perché non è il suo nome anagrafico, Statuto dei diritti dei lavoratori.

Il cammino compiuto è lungo, ma vorrei solo per un attimo ricordare che i cammini non si compiono mai, i passi sono sempre fatti verso qualcosa in movimento, altri compiti incombono al legislatore anche in questa materia, il problema di identificare la capacità rappresentativa del sindacato è certamente un problema attuale.

Se ne parla, è materia di vive polemiche, una materia rispetto alla quale, però, credo che occorrerebbe procedere tenendo ben presente la lezione di Di Vittorio. Anche su questo si deve procedere attraverso la via del consenso, non si può risolvere il problema che si va aggravando imponendo un modello o un abito fatto su misura di altri, la base deve essere sempre una costruzione volontaristica, il perno del sistema deve essere visto anche in questo caso nella volontà e nella capacità elaborativa della rappresentanza.

Giuseppe Di Vittorio e la costruzione della democrazia italiana

di Giorgio Napolitano *

Alle rievocazioni e testimonianze di coloro che furono vicini a Giuseppe Di Vittorio, segretario della Cgil, e che ne hanno tratteggiato la straordinaria figura di dirigente del movimento sindacale, è non solo giusto ma doveroso accompagnare la riflessione e l'omaggio di quanti rappresentano le istituzioni democratiche. Perché Giuseppe Di Vittorio è stato uno dei costruttori della democrazia italiana risorta dalla tragedia del fascismo e della guerra: ha contribuito come pochi a gettarne le nuove fondamenta, ad allargarne le basi, ad assicurarne il consolidamento in anni travagliati e rischiosi. E ritornare oggi sul suo contributo ci aiuta a capire ciò che resta vivo ed essenziale di quella costruzione comune, pur insidiata da tante insufficienze e distorsioni.

Possiamo partire dalle significative formulazioni consegnate nella relazione sul diritto di associazione e sull'ordinamento sindacale che Di Vittorio, deputato all'Assemblea costituente, presentò e sostenne nell'ottobre del 1946 nella terza sottocommissione della commissione per la Costituzione. «La società moderna pone il lavoro come fondamento del proprio sviluppo ... In Italia il capitale più grande e più prezioso di cui dispone la nazione è rappresentato appunto dalla sua immensa forza lavoro ... I sindacati dei lavoratori costituiscono obiettivamente uno dei pilastri basilari dello Stato democratico e repubblicano e un presidio sicuro e forte delle civiche libertà, che sono un bene supremo dell'intera nazione ... [Essi] costituiscono obiettivamente il tessuto connettivo più solido della nazione e della sua stessa unità». In queste formulazioni si racchiudeva tanta parte dell'esperienza già vissuta da Di Vittorio, della concezione e dell'impegno che avrebbe portato avanti fino al termine della sua vita, per undici intensissimi anni.

* *Presidente della Camera dei deputati*

In effetti, le affermazioni che ho richiamato possono apparire al lettore di oggi piuttosto apodittiche, se non nobilmente retoriche; ma quel che dava loro forza e senso era l'esperienza di bracciante agricolo, di organizzatore contadino e sindacale, di combattente antifascista, via via vissuta a cominciare dal momento in cui, nella sua Cerignola, venne avviato al lavoro nei campi ancora ragazzo, per la morte del padre, abbandonando la scuola alla seconda elementare. «Ragazzo bracciante semianalfabeta, figlio di braccianti analfabeti, vivente in una società in grande maggioranza di analfabeti», avrebbe poi detto di sé, ricordando in particolare la fatica della conquista – da autodidatta – del libro, della cultura, delle prime letture, tra *La città del sole* di Campanella e *I promessi sposi* offertigli dal cappellano del carcere di Lucera in cui era detenuto nell'autunno del 1911 per aver partecipato allo sciopero della vendemmia. Lotta per il lavoro e difesa del lavoro, orgoglio del lavoro, e libertà di associazione e agitazione, libertà sindacale e politica, facevano tutt'uno nel formarsi e nell'affermarsi di Di Vittorio sindacalista rivoluzionario e socialista.

Il secondo decennio del secolo lo vide già diventare un capo, lo vide anche partecipare alla «grande guerra» – ferito in battaglia, ma nonostante ciò classificato come «sovversivo pericoloso», allontanato dal fronte e internato in Cirenaica –, lo vide infine scontrarsi col fascismo agrario dilagante. Non si può comprendere nulla del significato che le parole *lavoro* e *libertà* avevano per Di Vittorio, nel momento in cui contribuiva a collocarle negli articoli della Costituzione, se non si ricostruisce storicamente e non ci si sforza di immaginare che cosa fosse stata, negli anni della sua adolescenza e della sua giovinezza, la condizione umana e sociale del «contadino bracciante» in Puglia, l'asprezza sanguinosa del conflitto di classe, la durezza della reazione culminata nel fascismo.

D'altronde, egli era entrato per la prima volta a Montecitorio non con le elezioni del 2 giugno 1946, ma con quelle del 15 maggio 1921, e vi era giunto direttamente dal carcere di Lucera, dove era stato ancora una volta ristretto per lo sciopero generale contro le violenze fasciste del febbraio di quell'anno. I capi di imputazione erano pesantissimi, nonostante che di fronte al prolungarsi degli scontri dopo la cessazione dello sciopero fosse venuto proprio dalla Camera del lavoro di Cerignola un manifesto severo contro ogni atto di ritorsione disperata e feroce da parte dei lavoratori: «Le nostre lotte debbono essere condotte con civiltà e dignità ... Astenetevi dal compiere atti che ripugnano ad ogni coscienza onesta ... Le grandi e nobili idee ispiratrici delle nostre organizzazioni non consentono tali barbarismi».

Di Vittorio, non iscritto né al partito socialista (massimalista) né all'appena costituito partito comunista, accettò la candidatura propostagli nelle liste del primo essendovi stato indotto da una formale sollecitazione del Consiglio generale della Camera del lavoro di Bari. L'elezione a deputato era il solo modo di tornare libero e riprendere la battaglia; e nonostante il clima di vero e proprio terrore in cui si svolsero le votazioni a Cerignola, impedendovi di fatto la partecipazione dei contadini socialisti e provocando l'uccisione di nove persone, Di Vittorio fu eletto con largo suffragio, soprattutto grazie ai voti della provincia di Bari. Dopo essere stato liberato e aver preso posto a Montecitorio, fu naturalmente raggiunto dalla richiesta di autorizzazione a procedere: e su di essa riferì alla Camera il deputato del partito popolare Merizzi. Nella relazione si diceva: «L'esame degli atti ha convinto la vostra Commissione che nessun, neppur tenue indizio fu raccolto dall'istruttoria, il quale in alcun modo legittimi le imputazioni fatte al Di Vittorio, di avere formato delle bande armate per commettere reati contro le persone e la proprietà, e di aver egli suscitato la guerra civile e portato la devastazione, il saccheggio e la strage nel territorio di Cerignola nei giorni 25 e 26 febbraio 1921 ... La denuncia dell'onorevole Di Vittorio sembra inficiata da preoccupazioni manifeste di parte, e grave dubbio sorse che l'imputazione stessa abbia avuto come ragione e causa il fatto che il Di Vittorio era propagandista del sindacalismo in quella regione».

La proposta di «non autorizzare il procedimento contro l'onorevole Di Vittorio Giuseppe» fu quindi approvata dalla Camera. Mi si consenta – per inciso – di trarre da ciò spunto per rilevare come vi siano istituti la cui validità sotto il profilo delle garanzie di libertà e di democrazia va considerata con sufficiente respiro storico, per quanto diverse, e penose, possano essere le contingenze politiche.

L'esperienza e l'impegno di cui Di Vittorio si fece portatore anche in quel primo mandato parlamentare – nelle drammatiche condizioni determinatesi con l'avvento del fascismo – emergono nel discorso dell'11 giugno 1923. Il decreto del governo fascista sulle otto ore di lavoro comportava un pesante regresso e un'insopportabile imposizione per «i contadini braccianti» del mezzogiorno d'Italia, visto che «non si considerava il tempo per l'andata al campo e quello per il ritorno», distando il campo dall'abitazione urbana del contadino «sino a dieci e anche a quindici chilometri» da percorrere a piedi – come Di Vittorio scrisse sull'*Avanti!* – «con gli strumenti del lavoro sulle spalle e spesso su stradicciole fangose ed incomode, attraverso gli immensi latifondi». Non si poteva pretendere che il contadino si sottoponesse a otto ore di lavoro effettivo giornaliero l'intera annata, tanto più che nel mezzogiorno si lavorava non con la vanga ma con la zappa e questa richiedeva uno sforzo di gran lunga maggiore. Il nome del giovane deputato di Cerignola entrò dunque negli annali del Parlamento con quel discorso tenace, martellante – in contraddittorio col ministro dell'agricoltura – sullo sforzo del lavorare con la zappa, in difesa del contadino che ne usciva, col passare degli anni, con «la spina dorsale curvata in avanti e anchilosata». Un discorso che rivendicava con parole fierissime le battaglie già condotte e si poneva a tutela delle conquiste che ne erano scaturite: «Noi abbiamo dovuto assolvere il compito doppiamente gravoso di togliere i contadini da una condizione di servaggio, dalla condizione di barbarie in cui erano tenuti, e non solo di elevarli a condizioni migliori dal punto di vista economico ... ma di elevarne la dignità di uomini liberi ed imporla al rispetto dei loro padroni».

La conquista, e riconquista, di quella dignità esigeva unità. L'unità dei lavoratori, l'unità sindacale, rappresentarono l'assillo costante di Di Vittorio: oltre ogni ottica e limite di categoria, in una visione generale degli interessi delle classi lavoratrici e del popolo, e nella saldatura tra «popolazione rurale del sud e proletariato industriale del nord». Tra il 1924 e il 1926, era confluito nel partito comunista, si era incontrato con Gramsci, era stato designato segretario dell'Associazione di difesa tra i contadini, aveva subìto otto mesi di carcere e infine era sfuggito a un nuovo arresto e al confino espatriando in Francia. L'attività nell'Internazionale contadina e nel movimento antifascista, la partecipazione alla guerra di Spagna, il lavoro nell'emigrazione italiana, furono una lunga preparazione al ritorno in patria, dapprima trasferitovi dalla Francia in stato d'arresto e confinato a Ventotene fino alla caduta del fascismo; una lunga preparazione, in sostanza, all'assunzione di responsabilità decisive nella ricostruzione del sindacato e dell'unità sindacale nella nuova Italia democratica.

Le tesi sostenute da Di Vittorio nella terza sottocommissione all'Assemblea costituente erano dunque il frutto di una profonda maturazione politica; ed esse avevano già costituito materia di vivace dibattito nella fase del negoziato per il patto di unità sindacale del 1944. Unità, non «unicità»: i due concetti sono del tutto diversi «e in certo senso opposti», si legge in quella relazione, «l'unicità, o l'unità obbligata, non unifica assolutamente nulla ... L'osservazione che l'ammettere la pluralità dei sindacati sia contrario al principio dell'unità sindacale, o possa comprometterla, non appare fondata ... La vera unità sindacale presuppone la libertà».

Di Vittorio respinse nettamente in sede di Assemblea costituente l'idea di un sindacato obbligatorio, riconosciuto e controllato dallo Stato, così come l'aveva respinta nei colloqui del gennaio 1944 tanto con Bruno Buozzi quanto con Giovanni Gronchi: «Ho sottolineato – scrisse nel riferire di quei colloqui – l'odiosità della coazione dopo vent'anni di dittatura fascista, il bisogno della libertà, il fatto che il sindacato deve cercare nella sua iniziativa, nella sua azione di effettiva difesa degli interessi dei lavoratori, la sua forza e la sua autorità reali». Nessun vantaggio, a cominciare da quello delle iscrizioni e delle quote obbligatorie, poteva indurre a ricalcare il metodo fascista. Nella relazione del 1946 tornarono le espressioni di oltre due anni prima. «Il sindacato deve essere libero nel senso più alto, deve essere indipendente dallo Stato». «Noi crediamo che il sindacato, per adempiere effettivamente i suoi compiti ... debba essere libero, volontario, autonomo, indipendente».

Peraltro, Di Vittorio aggiungeva che una tale esigenza era conciliabile con l'altra «di ottenere da esso quelle garanzie che sono necessarie per potergli affidare legalmente alcune funzioni di carattere pubblico, che il sindacato esercita di fatto e che non potrebbe non esercitare». Nacque di lì lo sforzo di combinazione che attraverso non facili discussioni avrebbe trovato sbocco nell'articolo 39 della Costituzione, per non parlare di quelle che condussero all'articolo 40. Ma da parte mia si voleva solo mettere in rilievo la sensibilità di Di Vittorio per i temi della libertà e dell'autonomia sindacale come inscindibili dalla ricerca dell'unità. «Non vi è possibilità» così egli aveva concluso il congresso della Cgil il 1° febbraio del 1945 a Napoli, con parole di ineguagliabile vigore ed essenzialità «non vi è possibilità di difesa autentica dei lavoratori, del pane dei lavoratori, dell'educazione dei figli dei lavoratori, se non vi è libertà».

E la libertà era un problema politico, non di partito ma politico, su cui la Cgil aveva deciso unitariamente di prendere posizione. Le posizioni che essa prese per la convocazione dell'Assemblea costituente e poi per il voto a favore della Repubblica restano nella storia della costruzione della democrazia italiana.

Ma il cammino dell'unità democratica e dell'unità sindacale era destinato a interrompersi presto, traumaticamente. Possiamo dire che Di Vittorio operò perché quel filo non si spezzasse mai del tutto. Lo fece – negli anni difficilissimi che seguirono la rottura, nel 1947, della coalizione antifascista – muovendosi su una linea che tendeva a convergere con quella del suo partito ma senza temere di divergerne, e portando in ogni scelta innanzitutto le ragioni del sindacato, e l'impronta della sua personalità, del suo modo di sentire e di affrontare i problemi, della sua indipendenza.

Egli contribuì in modo determinante a scongiurare un'irreparabile lacerazione della convivenza democratica nei giorni drammatici dell'attentato a Togliatti, dello sciopero e dello scontro che scossero il paese (luglio 1948). La percezione del rischio e il senso del limite, che prevalsero in ambedue gli schieramenti, si possono cogliere ancor oggi leggendo le pagine del confronto svoltosi alla Camera il 16 luglio tra De Gasperi, in risposta a un'interrogazione di Di Vittorio, e quest'ultimo.

Si giunse però lo stesso, fatalmente, alla divisione nella Cgil. La separazione della «corrente sindacale cristiana» fu di certo per Di Vittorio una ferita grave; non erano state formali le espressioni che aveva rivolto, aprendo il congresso di Napoli, ai cattolici che portavano «nel nostro movimento sindacale il loro soffio di spiritualità evangelica, questo sentimento profondo di umanità, di rispetto della persona umana». Espressioni non formali, perché i richiami evangelici non erano estranei alla sua stessa predicazione di sindacalista e socialista.

Dopo la divisione, continuò a credere, sempre, nell'esigenza e nella prospettiva dell'unità sindacale. E a cercare di ritessere il filo del dialogo politico tra tutte le forze democratiche. Fu in questo senso straordinariamente significativa e fruttuosa l'iniziativa del Piano del lavoro. Se ne è discusso molto, anche in tempi recenti, da diversi punti di vista. A me preme, qui, mettere in luce innanzitutto come la Conferenza nazionale tenutasi a Roma dal 18 al 20 febbraio 1950, in piena guerra fredda, si risolse in un momento di dialogo davvero impensabile senza l'apporto trascinante di Di Vittorio. Accanto ai comunisti e ai socialisti della Cgil, nel Teatro delle arti (se la memoria non inganna chi come me vi prese posto in qualche angolo), si ritrovarono i ministri Pietro Campilli e Ugo La Malfa, cordialmente accolti dall'indimenticabile Fernando Santi, e Amintore Fanfani – che era stato con Di Vittorio nella terza sottocommissione all'Assemblea costituente – e Giorgio La Pira, e uomini tra i più rappresentativi dell'università, del mondo della ricerca, del mondo finanziario, della pubblica amministrazione.

La ricaduta politica fu ben visibile nelle decisioni prese poi dal governo, specie con l'avvio della politica di intervento straordinario nel mezzogiorno, con l'istituzione della Cassa del mezzogiorno, rispetto alla quale, come si sa, l'atteggiamento di Di Vittorio si distinse da quello di netta opposizione del Pci. E quella distinzione si sarebbe mantenuta e ripetuta alcuni anni dopo, quando nel novembre del 1953, al convegno della Cassa del mezzogiorno, si annunciò con la relazione del professor Saraceno il passaggio a una politica di industrializzazione. Il consenso espresso in quel convegno da Di Vittorio gli procurò rinnovate critiche in sede di partito: quella che a dirigenti e «giovani turchi» del Pci di quel tempo apparve come ingenuità o avventatezza politica, era in effetti volontà di apertura, scelta di movimento, contro indubbi rischi di schematismo e rigidità e in risposta a esigenze prioritarie di carattere sociale e sindacale, compresa l'esigenza della ricerca di possibili convergenze unitarie fra le organizzazioni dei lavoratori.

Nell'impostazione e presentazione del Piano del lavoro si ritrovano d'altronde tutte le grandi costanti della visione, dell'esperienza, dell'impegno di Di Vittorio: la disoccupazione come nemico fondamentale; l'arretratezza del mezzogiorno come vincolo e banco di prova per una politica di sviluppo produttivo dell'intero paese, per una politica di effettiva unificazione nazionale; lo spirito di solidarietà in antitesi agli egoismi corporativi, e il senso delle comuni responsabilità rispetto all'interesse democratico generale, come tratti irrinunciabili del movimento dei lavoratori e come motivi di esaltazione del suo ruolo.

Nulla sarebbe più arbitrario che il ricercare in Di Vittorio una contrapposizione tra la tematica dell'occupazione e quella delle condizioni e delle retribuzioni dei lavoratori. Anche nella relazione alla Conferenza di Roma sul Piano del lavoro era ben presente la denuncia dei bassi salari, la convinta rivendicazione della necessità di elevare i salari per «elevare la capacità di acquisto del popolo lavoratore» nell'interesse stesso dello sviluppo industriale italiano. L'accento cadeva tuttavia sull'esigenza primaria di dare alla disoccupazione allora così massiccia una risposta che non fosse (come invece fu) quella dell'emigrazione, di garantire al mezzogiorno lavoro e insieme abitazioni, servizi, condizioni di vita civili; i lavoratori si preoccupavano di far uscire il paese dalla depressione, «di ingrandire la torta» – disse Di Vittorio – «di aumentare la produzione, di aumentare il reddito nazionale», ed erano «pronti a sacrificarsi per questo», «ad accollarsi, pur soffrendo, un sacrificio supplementare», magari «sotto forma di una modesta percentuale sui salari o sotto forma di un lavoro supplementare». Alla sofisticata e innovativa (rispetto alla cultura prevalente allora nella sinistra) qualificazione del Piano in senso keynesiano, che aveva costituito l'apporto degli economisti vicini alla Cgil, Di Vittorio accompagnava il messaggio politico e sociale della disponibilità dei lavoratori ad una scelta di responsabilità e solidarietà nell'interesse nazionale.

Vittorio Foa ha scritto di recente: «Credo di dover riconoscere in quell'uomo il mio solo maestro di politica». E lo ha scritto in polemica col *cliché* di un Di Vittorio puro tribuno o sindacalista emotivo, guidato dal sentimento piuttosto che dalla ragione politica. Egli fece in realtà, da straordinario dirigente del movimento dei lavoratori – straordinario anche per calore umano –, una grande politica democratica, di consolidamento, innanzitutto, di una democrazia ancor così esposta a incognite e rischi. E politica, non certo puramente emotiva, fu la scelta del 1956. Aveva per anni anch'egli esaltato e difeso l'Urss e i «paesi socialisti», ma un forte turbamento e ripensamento lo condusse prima, nel giugno, a interrogarsi sui sanguinosi scontri tra operai e polizia a Poznan in Polonia, e poi, il 27 ottobre, ad aderire all'iniziativa dei socialisti della Cgil per un comunicato della segreteria – che fece grande scalpore – di deplorazione dell'intervento sovietico in Ungheria. Fu un fatto di convinzione sofferta, come ha voluto ricordare or è poco Antonio Giolitti scrivendo di un Di Vittorio «travolto dall'emozione», «con la voce rotta dal pianto»: «fui sconvolto nel vedere quel macigno, quel gigante che singhiozzava».

La nostra democrazia è cresciuta anche attraverso quei drammi. E deve oggi saper recuperare quella ricchezza morale e umana. Non può rinunciare a quell'ancoraggio vitale nel valore del lavoro e nel mondo del lavoro. È tutto così diverso, certo, dall'Italia di Di Vittorio. L'antico servaggio dei contadini braccianti nelle campagne pugliesi appartiene a un passato storico fin troppo dimenticato; e tanti altri vincoli e limiti sono stati spezzati. Trasformazioni inimmaginabili non solo quando Di Vittorio nacque, ma quando morì, hanno cambiato le forme del lavoro e gli atteggiamenti verso il lavoro. Ma si può immaginare come Di Vittorio avrebbe nonostante tutto reagito a ogni tendenza a sostituire la parola d'ordine della liberazione *del* lavoro con quella della liberazione *dal* lavoro, quando in un'Italia e in un'Europa pur così sviluppate c'è da fare i conti con problemi complessi e gravi di disoccupazione crescente. Abbiamo ancora da imparare leggendo le parole di Di Vittorio sul progetto di Costituzione: «Garantire effettivamente il diritto al lavoro come diritto alla vita», «riconoscere i diritti del lavoro, che è la fonte della vita».

È vero che, come scrisse Sandro Pertini, «nei volumi dei discorsi parlamentari le parole sono scritte, non dette, e non hanno il calore e i disegni gestuali che Di Vittorio vi aggiungeva». Ma alcuni di noi ebbero la fortuna di sentirgliele dire, tante di quelle parole, e non solo in Parlamento, e sanno che cosa fosse il suo carisma – termine, pure, mai usato allora per lui, e successivamente così abusato. Poteva bastare il suo arrivo – prima ancora che si imponesse alla tribuna – in un'assemblea di lavoratori e di popolo, come quella a cui partecipava anche chi vi parla, all'inizio degli anni cinquanta, a Bari, per suscitare un turbine di entusiasmo; ma in noi è rimasto impresso egualmente il turbine di dolore suscitato dal passaggio del suo feretro, a Roma, quel triste giorno di novembre del 1957, tra la gente, tra i lavoratori e i contadini venuti dalla sua Puglia. Qualche settimana prima l'avevo visto giungere a Montecitorio turbato; mi confidò di essere stato criticato, al partito, per aver voluto, nonostante le precarie condizioni di salute, di ritorno da Lipsia, proseguire per Andria, Barletta, Gioia del Colle, San Severo, visto che stavano per svolgersi lì le elezioni comunali. «Ma come potevo – disse solo – non andare nei miei paesi, se si votava?». Anche quel legame perfino fisico, naturale, con la *sua* terra, quel principio di fedeltà alla *sua* gente, resta una lezione da non dimenticare.

Parte seconda

La riflessione

Il sindacalismo rivoluzionario in Giuseppe Di Vittorio

di Adolfo Pepe [*]

Il «mito» Di Vittorio

Giuseppe Di Vittorio ha rappresentato, nell'arco di oltre un quarantennio di attività sindacale, «il mito» più compiuto, forte e significativo per il mondo del lavoro: con la sua figura di bracciante poverissimo e autodidatta, con la sua condizione sociale, con l'impegno profuso, la sua vita avventurosa e tormentata, la progressiva assunzione di responsabilità dirigenti nazionali e internazionali.

Di Vittorio ha attraversato la grande trasformazione dell'Italia dalla soglia degli anni dieci fin dentro l'avvio della seconda e decisiva rivoluzione industriale degli anni cinquanta, segnando la parabola evolutiva del lavoro, dalla condizione di soggezione morale e di estraneità politica e culturale all'assunzione e al riconoscimento della dignità morale e dell'integrazione politica e culturale.

La sua vita si è identificata con quel complesso processo di riscatto del lavoro e dei suoi valori dai vincoli pesantissimi della miseria, della «fatica», della violenza nelle condizioni di vita che costituiscono poi la sostanza umana della modernizzazione.

La fortissima impronta morale che connota l'identificazione, anche personale, di Di Vittorio con il mondo del lavoro materiale lo colloca senza dubbio nel solco del grande apostolato laico e pedagogico che ha animato, alle origini, la prima affermazione e diffusione della predicazione e dell'azione socialista.

Questa emancipazione si è intrecciata altresì, in forme drammatiche e cruente, con una lunga fase, che ha inizio negli anni dieci della storia italiana ed europea segnata da una conflittualità socia-

* Docente di Storia del movimento sindacale nell'Università Gabriele D'Annunzio

le, politica e ideologica assai simile ad una guerra civile, alimentata e, a sua volta, interdipendente con i due grandi cicli bellici e con le relative e diverse trasformazioni che ne conseguirono. La pedagogia sociale e il mito escatologico, in questi nuovi tempi «di ferro e di sangue», assumono una forte coloritura di parte, ideologica e, dunque, i miti formatisi negli anni venti e trenta hanno le caratteristiche del «guerriero» e soprattutto del «capo» politico.

L'aspetto saliente del mito di Di Vittorio consiste nel fatto che, pur in un'epoca nella quale la personalizzazione carismatica delle doti del leader diviene una delle regole fondanti del nuovo modo dl intendere e praticare la politica di massa, non si intreccia né si alimenta delle qualità di «capo».

Di Vittorio è stato considerato un mito nel senso della sua perfetta aderenza ai valori e ai comportamenti di quella parte della società che, per cultura e tradizione storica, aveva maggiore necessità di esprimere i propri bisogni e riaffermare, nel cambiamento tumultuoso, una qualche forma di stabilità, di identità come condizione per una prospettiva alternativa.

E anche quando la sua qualità di massimo dirigente della Cgil poteva far apparire determinanti il suo ruolo e la sua funzione politica, Di Vittorio non divenne mai nell'immaginario collettivo e popolare e neppure nella società politica il «capo» della classe operaia, come invece accadde a Palmiro Togliatti.

Vi è qui *in nuce* una delle peculiarità della storia personale, del rapporto con quella del movimento operaio e, più in generale, con la storia nazionale che ha costituito per Di Vittorio la premessa per evitare ùn'imbalsamazione acritica della sua vicenda e delle sue qualità, ma anche per un accentuato depotenziamento dello specifico spessore politico della sua azione e del suo pensiero sindacale.

In altri termini, Di Vittorio, per la peculiarità che ha avuto nella storia dell'Italia della prima metà del Novecento (un mito che non era un capo), rappresenta ancora una delle maggiori questioni aperte nella storia del movimento sindacale e nella storia politica nazionale, nonostante il processo di demitizzazione che ha investito soprattutto uomini e idee della sinistra democratica e di classe e che ha coinvolto molti di essi in processi sommari postumi o in emarginazioni ingiustificate e incomprensibili.

Di Vittorio viceversa non sembra prestarsi a quelle rivisitazioni di tipo giudiziario e penalistico nelle quali si è venuta restringendo da ultimo una larga parte della pubblicistica e della storiografia relative all'epoca contemporanea. Al tempo stesso il suo mito, legato così fortemente ad una stagione ormai conclusa della storia nazionale e internazionale, non è suscettibile di demitizzazioni che si riducano a demonizzazioni.

La questione Di Vittorio rappresenta, pertanto, una delle maggiori occasioni per riconsiderare criticamente quasi tutti i principali snodi dell'Italia del Novecento, forse al di là di molti stereotipi, acquisizioni dogmatiche e schematizzazioni che risultano storicamente infondati e inverificabili e offuscano altresì una riflessione che voglia aprirsi ai nuovi scenari che abbiamo di fronte.

Per gli studiosi costituisce senza dubbio una significativa opportunità il constatare che, anche se la sua impronta ha caratterizzato una parte notevole dei dirigenti e l'organizzazione confederale stessa nel suo insieme, quanto meno fino alla prima fase della segreteria di Luciano Lama culminata nella strategia della riforma del congresso di Bari del 1973, e nonostante la ripubblicazione dei suoi scritti e dei suoi discorsi parlamentari e di molte testimonianze culminate nell'importante contributo storiografico realizzato da Michele Pistillo, non si dispone di una compiuta sistemazione storica critica condotta su fonti archivistiche e secondo categorie interpretative proprie dell'analisi storica.

E qui riemerge quella peculiarità di Di Vittorio mito e non capo che, a mio giudizio, deve costituire il punto di partenza per la ripresa di una più matura stagione di studi e per una più corretta impostazione della questione Di Vittorio. A dire il vero, con la consueta finezza e lucidità intellettuale, questa volta vivificata anche dalla comunanza di esperienze e di lavoro e dall'ammirazione sincera nutrita per Di Vittorio, nel suo recente saggio autobiografico Vittorio Foa ha gettato un seme decisivo nella direzione qui auspicata.

Ripercorrendo l'arco della sua vita intellettuale, politica e sindacale, e fissando i momenti e le figure decisive della sua formazione, Foa, che pure al leader pugliese aveva fatto spesso riferimento commosso, per la prima volta ne delinea qualità, doti, significato e statura politica: «Sono passati tanti anni ma il ricordo di Di Vittorio resta in me fortissimo. Credo di dover riconoscere in quell'uomo il mio solo maestro di politica» (Vittorio Foa, *Il cavallo e la torre*, Torino, Einaudi, 1991, p. 195).

Di Vittorio non è più il mito morale e non è naturalmente il capo politico alla Togliatti, ma una variante autonoma e, per Foa, originale della politica del movimento operaio, politica intesa come categoria dell'agire collettivo. Ricorda Foa: «In quella primavera del 1950 io ero entrato da pochi mesi nella segreteria della Cgil come vicesegretario e lavoravo con Di Vittorio. Il personaggio è stato sempre rappresentato come un tipico capopopolo, come un tribuno capace di animare le folle, carico di sentimento e di capacità di trasmetterlo, ma non confrontabile, su un piano politico, coi 'veri' politici del suo tempo, i De Gasperi, i Togliatti, i Fanfani, i Nenni, tutta gente abilitata alle analisi fredde e oggettive della 'vera' politica. Io al contrario ho sempre pensato e penso a Di Vittorio come al politico più raffinato, proprio perché era capace di superare l'immediatezza e affondare lo sguardo nei tempi lunghi».

Foa non colloca Di Vittorio solo nell'ambito del movimento sindacale, ma sembra adombrare in lui una modalità d'essere del movimento operaio che ha la statura, la dignità, la qualità dell'originalità politica e la grande capacità di «guardare» e scegliere sui «tempi lunghi». Con ciò ha posto la questione Di Vittorio nei suoi termini più propri e più fecondi.

Sindacalismo rivoluzionario e comunismo

Se dunque occorre leggere Di Vittorio alla luce di questa valutazione, occorre avviare una riconsiderazione complessiva della sua azione e del suo pensiero a partire da quello che è stato il nodo centrale e, per molti aspetti, tormentato della sua biografia: la formazione e la lunga e decisiva appartenenza al sovversivismo irregolare di sinistra che, per un organizzatore di masse lavoratrici meridionali e pugliesi, significava negli anni dieci l'incontro con il sindacalismo rivoluzionario.

Di Vittorio si è sempre posto, a partire dagli anni venti, quasi come un superiore dovere di onestà intellettuale e morale il problema di fare i conti con questa fase della sua vita politica e sindacale, naturalmente ponendola in relazione con la scelta del 1924 di adesione al partito comunista.

Rileggendo i suoi molteplici ritorni su questa eredità, non è possibile non riconoscere una sincera, sofferta e non univoca riconsiderazione di quelle esperienze, al punto che mi sembra si possa sostenere che vi siano in Di Vittorio due aspetti che, pur esprimendo valutazioni assai dissimili, tuttavia coesistono nella sua personalità che appare riluttante a sceglierne uno a danno dell'altro.

Ancora Foa ha scritto, a proposito del complesso rapporto tra questa eredità intellettuale, morale e politica di sindacalista rivoluzionario e la convinta adesione al partito comunista da parte di Di Vittorio, di «una coabitazione di due fedeltà, quella alla classe e quella al partito della classe», precisando poi che più che di una contraddizione «si trattava di una doppia appartenenza».

Possiamo prendere come riferimento ed espressione abbastanza compiuta della prima valutazione quella contenuta nelle note scritte nel 1930 per il Centro del partito comunista e che appare fortemente motivata dalla necessità-scelta di giustificare una così lunga permanenza nell'ambito del sindacalismo rivoluzionario e una indubbiamente ritardata adesione al Pci, che lo hanno indotto ad una sorta di sconfessione-rifiuto di quel «giovanile errore» superato poi dalla matura evoluzione verso la militanza politica comunista.

Nelle parole di Di Vittorio è un lento, faticoso processo di affrancamento completo da un'ideologia e da un mondo di valori che lo avevano fortemente condizionato, ma che lui stesso aveva contribuito a plasmare: «Non voglio affermare che ho fatto tutto bene. La mia evoluzione è stata lenta, esitante, perché l'ideologia sindacalista di cui ero impregnato fin da ragazzo faceva sentire il peso della sua influenza e richiedeva uno sforzo serio per liberarmene completamente. Un'altra preoccupazione che rendeva lenta la mia evoluzione era quella di portare la massa, che io stesso avevo educato durante tanti anni alla negazione del concetto stesso di partito, all'accettazione del partito comunista, cosa questa che non si ottiene facilmente in breve tempo, specialmente nella situazione in cui ci aveva posto il fascismo».

Questa tesi estrema della radicale contrapposizione tra la fase sindacalista e quella comunista espressa in termini di errore, di immaturità e di progressivo superamento di una condizione giudicata e giudicabile come sommamente contraddittoria colla scelta politica comunista non si ritrova nelle successive riflessioni di Di

Vittorio. Ma ancor più rilevante appare la considerazione che essa non è contenuta, in questi termini, neppure nel primo serio bilancio critico che egli farà tra il giugno e l'ottobre 1924, con una serie di articoli sull'*Unità*, proprio a ridosso dell'adesione al partito comunista, quando forse avrebbe dovuto più nettamente marcare la differenza con il suo passato sindacalista.

Nel ben noto articolo comparso il 1°giugno 1924 e dal significativo titolo «Comunismo e sindacalismo rivoluzionario» Di Vittorio sottolinea come il passaggio al comunismo derivi dall'esaurirsi storico dell'esperimento sindacalista soprattutto in seguito al prorompere del nuovo fenomeno del fascismo e della sua inedita azione politica intessuta di violenza antiproletaria rispetto alla quale la semplice azione sindacale, ancorché quella attiva e pugnace del sindacalismo rivoluzionario, era apparsa inadeguata e aveva, per converso, richiamato la necessità di sostituirla con la più consona forma del partito rivoluzionario, quello comunista appunto.

«L'esperienza tuttora in corso ci dimostra che il sindacato, anche quello sindacalista puro, non è capace di sostenere una tale lotta. Di fronte all'infuriare della reazione fascista i sindacati, in generale, sono caduti senza offrire una resistenza efficace. I partiti politici invece hanno potuto continuare a vivere e a funzionare anche durante la tormenta ed essi soli hanno saputo e potuto sopravvivere senza libertà, assicurando la continuità storica del movimento proletario».

Ma tale incapacità era, per così dire, il risultato del mancato passaggio dallo Stato liberale allo Stato democratico. I sindacati in quanto tali, e dunque anche il sindacalismo «presuppongono la democrazia, cioè la libertà di organizzazione, di propaganda e di movimento». Al venir meno di questa premessa essi cadono e debbono passare il testimone ad una forma diversa di organizzazione, quella politica del partito.

Ma, aggiunge Di Vittorio, quasi a sottolineare l'aspetto delimitato e, per così dire, transitorio di tale funzione specifica del partito e a voler riprendere l'asse centrale della polemica antiriformista degli anni dieci, il partito non è tutto e il «sindacato è sempre l'organo specifico delle lotte di classe; l'organo che realizza l'unità di classe anticapitalistica sul terreno degli interessi economici che uniscono tutti i lavoratori».

Di Vittorio rivendicava dunque in questo scritto con una certa fermezza l'originalità sindacale e la sostanziale funzione antiriformista, conflittuale e classista, del sindacalismo nei confronti di un movimento sindacale confederale autoritario, disciplinatore e delimitato nella rappresentanza ad un'area sociale e territoriale del movimento operaio e contadino. Ma riaffermava anche, riprendendola dalla tradizione sindacale del prefascismo, la fondamentale funzione ordinaria del sindacato nella rappresentanza e tutela degli interessi economici del mondo del lavoro in opposizione a quella dei ceti proprietari e capitalistici.

Con ciò la frattura tra fase sindacalista e adesione al comunismo veniva nettamente storicizzata, relativizzata e ricondotta ad una scelta quasi contingente e obbligata tatticamente rispetto ad un'idealità che la trascendeva.

Nel successivo articolo dell'11 giugno 1924, Di Vittorio, rispondendo a un dirigente dell'Usi, specificava ancor meglio il carattere politico circostanziato della scelta di puntare su formazioni di quadri selezionati, addestrati per la loro stessa omogeneità, agilità e articolazione organizzativa a fronteggiare la fase eccezionale della resistenza al fascismo e all'involuzione illiberale e antidemocratica, violenta della borghesia. «Se così è ed è un vecchio organizzatore sindacalista che lo afferma a che pro ostinarsi a chiudere gli occhi alla realtà solo per amore di tesi? Quei gruppi di avanguardia, anziché agire isolatamente e quindi in modo inorganico, non è meglio che siano inquadrati in un organismo nazionale e internazionale che li conduca alle lotte uniti e in base ad un piano coordinato, capace di condurre il proletariato alla vittoria?».

Ed è sempre con questa ragione sostanziale di concentrare le energie per meglio arginare la violenta reazione dello squadrismo fascista che Di Vittorio, ancora nell'ottobre del 1924, giustificava la necessità di far confluire nella Cgdl tutte le residue forze dell'Usi, realizzando quella prospettiva unitaria e fusionista sul terreno sindacale entro la Cgdl che, se era stata l'indicazione dell'Internazionale di Mosca, era stata altresì la base su cui la sua personale visione unitaria del sindacato e della lotta antifascista si era venuta attestando fin dall'immediato dopoguerra.

Certo l'incontro con il partito comunista aveva suscitato anche echi più profondi nell'animo del sindacalista pugliese, in primo luogo con la Rivoluzione dell'ottobre e con la costituzione di un forte organismo di solidarietà sindacale internazionale in opposizione all'organizzazione riformista, ma anche per la straordinaria suggestione esercitata su di lui da Togliatti e, in particolare, da Gramsci.

Ma anche in questo caso Di Vittorio, pur ammirato e illuminato dal lucido ragionare di Gramsci sulla questione meridionale, sul carattere del sindacalismo contadino meridionale, non esprime revisioni radicali o giudizi definitivi, ma registra le analisi gramsciane e lascia a lui completamente la responsabilità della nota valutazione del sindacalismo rivoluzionario come un movimento «istintivo, infantile e primitivo» ancorché sano.

Anzi nella testimonianza che rilascerà a Felice Chilanti allorché riporta le parole udite direttamente da Gramsci, Di Vittorio sembra quasi sottolineare la plausibilità di una valutazione certamente critica ma largamente aperta alla comprensione di quel fenomeno, soprattutto alla luce della forte caratterizzazione burocratico-disciplinare della confederazione riformista. «Ricordo che egli fece un'analisi profonda del movimento sindacalista e delle sue origini, della funzione che aveva avuto e dei moventi della sua evoluzione. Per la prima volta e proprio da Antonio Gramsci ho sentito questa osservazione: perché il movimento sindacalista si era sviluppato di più nel centro del proletariato agricolo e precisamente in Puglia e in Emilia? Perché le masse del bracciantato agricolo sospinte alla lotta dai bisogni urgenti di vita, di sviluppo, di progresso erano portate naturalmente ad essere insofferenti della disciplina burocratica che il riformismo della Confederazione generale del lavoro voleva imporre alle leghe e ai sindacati. Gramsci aveva acutamente analizzato gli elementi di arretratezza politica e di impazienza rivoluzionaria che caratterizzavano il proletariato agricolo».

L'eredità prefascista e la Cgil unitaria

Poi, man mano che ci si inoltra nei tempi bui e difficili dell'intreccio dei destini e delle prospettive politiche con l'Internazionale di Mosca e la sua strategia, dell'emigrazione in Francia, della lotta clandestina, della vita dura della Cgdl in esilio e dell'aspra contrapposizione con quella di Buozzi risorta a Parigi, e poi con la ripresa e la ritessitura del progetto di riunificazione tra le due Cgdl, Di Vittorio sembra compiere un'operazione in apparenza contraddittoria ma nella sostanza di grande maturità storica e intellettuale.

Egli riscopre come condizione della riunificazione una rilettura più larga e comprensiva dell'intera e variegata composizione del sindacalismo prefascista, sia di quello riformista di cui Buozzi era sicuramente il più alto e dignitoso rappresentante nella lotta antifascista, sia di quello sindacalista, di cui lui stesso comincia a sentire l'orgoglio e la profonda e peculiare radice storica, quasi l'altra fonte di legittimazione del suo modo di intendere e prefigurare il movimento sindacale del postfascismo.

Dovendo in qualche misura recuperare l'eredità storica del riformismo confederale, Di Vittorio lo ritrova nel rapporto di lealtà e collaborazione che instaura con Buozzi e ciò che rappresenta. Dovendo al tempo stesso recuperare una sua specificità, per evitare di ripristinare, con l'unità, una concezione piattamente riformista per lui inaccettabile, Di Vittorio, che non può rinvenire nella tradizione e nell'esperienza comunista, ancorché generosa e fondamentale nel salvare la continuità storica della confederazione, motivi di forte legittimazione, deve, per così dire, fare appello a se stesso, alla sua storia di irregolare, di sindacalista diventato poi comunista e immettere, pur se depurata, la sostanza di quelle idee, di quei valori, di quei miti, all'interno della nuova prospettiva sindacale.

Una tappa significativa di questa «riemersione» e riutilizzazione di alcune coordinate sindacaliste è costituita dal saggio apparso su *Rinascita* nel 1944, dedicato alle «premesse per l'unità sindacale», nel quale Di Vittorio divideva le correnti sindacali in due soli grandi filoni, riassorbendo nel primo sia il riformismo confederale che il sindacalismo rivoluzionario e il vario autonomismo di alcune federazioni di categoria comunque legate al movimento e alla tradizione associativa di classe, mentre il secondo era costituito dal sindacalismo cattolico, vera forza scissionista e, nel prefascismo, alternativa.

Era questo, pur nell'evidente duplice intento di tener unito il proprio schieramento e, insieme, di giustificare agli occhi degli ostili e dei riluttanti l'operazione politico-sindacale della Cgil unitaria con i cattolici, un deciso e consapevole tentativo nella direzione di amalgamare nel nuovo sindacato in costruzione l'insieme degli elementi costitutivi della variegata esperienza storica prefascista, ponendosi come garante e «metabolizzatore» degli aspetti più contrastanti e divaricanti.

Non solo, come si ritiene, Di Vittorio utilizza per questa operazione, che era anche in primo luogo una specie di razionalizzazione del suo percorso intellettuale, la cornice suggestiva e per lui costante dell'unità, sia quella dei lavoratori sia quella dell'organizzazione sindacale (questa era così forte che lo porterà a sostenere la sua contrarietà al pluralismo organizzato), ma anche alcune precise concezioni circa la natura e la funzione del sindacato.

Richiamiamo in questa sede, senza poterlo approfondire, il riferimento alla natura essenzialmente sociale e alla funzione di controllo e di unificazione dell'offerta di lavoro che rappresentano per Di Vittorio i cardini peculiari della genesi del sindacato. Esse sono le premesse della sua azione contrattuale e di quelle per la trasformazione democratica delle relazioni economiche e delle istituzioni politiche del paese e anche del suo ruolo di stabilizzatore dell'equilibrio tra forze sociali di massa e organizzazione del potere e dello Stato.

Non a caso Di Vittorio si impegnerà a fondo nella Costituente per far passare il principio basilare che il nuovo Stato democratico doveva rinascere non solo sulla legittimazione del sistema dei partiti che avevano sconfitto il fascismo, ma su quella delle grandi masse popolari e lavoratrici rappresentate dal sindacato unitario, vero contraente per lui del nuovo Patto costituzionale su cui doveva impiantarsi la Repubblica democratica.

E non è chi non veda come questa sua prospettiva, divenuta realtà nella Cgil unitaria, non comportasse un'esatta coincidenza con la prospettiva fondante della Repubblica e della Costituzione presente nella *leadership* politica dei partiti di sinistra, a cominciare da quella di Togliatti.

Non era solo la questione dell'autonomia del sindacato rispetto ai partiti che Di Vittorio sosteneva allora e riaffermerà, con coraggio e sofferta lungimiranza, nei ben noti contrasti della metà degli anni cinquanta sul comunismo internazionale e la sua profonda natura, quanto, ancora più in generale, l'elaborazione di una originale visione della prospettiva della storia dell'Italia repubblicana e democratica in parte divergente da quella delineata e perseguita dal sistema dei partiti.

La funzione fondante e la qualità contraente basilare della nuova Italia democratica ponevano il movimento sindacale – arginate le manifestazioni ultime dell'età della violenza e della guerra civile emerse sul piano nazionale con la variante scelbiana del centrismo e che avevano reso ancora una volta necessaria la preminenza dei partiti e delle forme di azione conseguenti – nella condizione di giocare un ruolo centrale sia nello sviluppo economico sia nel consolidamento e nel funzionamento ordinario delle istituzioni democratiche, in un corretto ma diretto rapporto così con le organizzazioni sociali proprietarie come con il governo e lo Stato.

Era l'intuizione, derivata appunto dalla lunga riflessione sull'insieme dell'esperienza maturata nel prefascismo e nell'immediato secondo dopoguerra, della necessità dell'espansione del sindacato in quanto tale, come condizione e cardine dello stesso processo di consolidamento della democrazia politica ed economica del nostro paese.

Il lungo saggio, comparso nel volume laterziano del 1955 dedicato al sindacato, costituisce certo la *summa* storico-politica di questa visione prospettica di Di Vittorio che, pur non essendo l'uomo del sindacalismo industriale che di lì a poco avrebbe avviato a realizzazione quel suo progetto, la delineava tuttavia con la lungimirante intuizione del grande politico che sa anticipare le tendenze fondamentali della società e delle istituzioni.

Ma già nel 1951 Di Vittorio aveva completato il processo di riassorbimento del sindacalismo rivoluzionario nella sua parabola biografica e, più in generale, nella riconsiderazione dell'evoluzione del movimento sindacale italiano. E utilizzava con molta proprietà e sicurezza tale recupero per resistere alla concezione e alla prassi sindacale dell'ortodossia comunista, che puntava a trasformare la fase dell'impianto organizzativo e strategico della Cgil dopo la scissione, in pratica la vera rifondazione confederale che inizia proprio dal 1949/1950, in un'operazione di prevalente costruzione burocratico-disciplinare e politico-agitatoria.

Ma resisteva, per tal via, anche alla pressione di una riproposizione del vecchio modello del riformismo sindacale prefascista, che presentava un insieme di valenze che, paradossalmente, sembravano integrarsi senza soluzione di continuità con una parte dello schema comunista.

Chiamato a celebrare il 50° anniversario della Camera del lavoro di Milano, certo la più importante struttura nella storia sindacale italiana, Di Vittorio teneva una conferenza al castello sforzesco il 30 aprile 1951, intitolata proprio «Le origini del nostro movimento sindacale e le funzioni della Camera del lavoro di Milano». L'occasione era singolarmente propizia alla sistemazione di quella riflessione storica che Di Vittorio, come abbiamo sottolineato, si trascinava praticamente dalla metà degli anni venti. Nel corso dell'ampia rievocazione trovava finalmente lo spazio e il tono giusto per quel bilancio conclusivo che aveva a lungo ricercato.

A mio giudizio, occorre rileggere con particolare attenzione le pagine che dedicava alla Confederazione generale del lavoro e alla scissione anarco-sindacalista, non trascurando di cogliere anche l'accentuazione lessicale che gli consentiva di introdurre un discorso che era insieme una rivisitazione storica e la conclusione di un itinerario di ricerca personale sulle radici morali e ideali della sua personale scelta di vita. Dopo aver accennato alla nascita della Cgdl, Di Vittorio affermava, a segnare lo stacco e l'evidenza che quanto stava per esprimere doveva assumere per chi ascoltava, ma anche l'importanza che acquistava per lui: «Ed ora, amici, permettetemi di accennare ad un fatto della nostra storia sindacale, che non possiamo ignorare, sul quale mi permetto di fare alcune considerazioni. Noi abbiamo avuto in Italia, e con un suo particolare rilievo a Milano, dal 1910 in poi di fatto, e poi dal 1912 anche sul piano formale, una scissione sindacale all'interno del movimento classista. (...)

«Perché è sorto questo movimento? Perché c'è stata questa scissione, che è costata numerose energie al proletariato italiano, sciupate, dissipate, disperse e poi perdute, quando potevano essere impiegate per potenziare maggiormente il movimento e dare più slancio, più forza contro il padronato, per strappare maggiori conquiste?

«Vedete, amici, è per questo che io ho accennato alle particolarità storiche della struttura economica, industriale, agraria italiana: anche per comprendere certi errori, e certe reazioni sbagliate a questi errori, si è obbligati a ritornare su questo argomento, sulle caratteristiche della formazione e dello sviluppo del capitalismo italiano. Intorno al 1912 è accaduto questo fatto: che alcuni strati dirigenti del movimento sindacale, e non soltanto sindacale, ma anche politico, giudicavano che in Italia fosse venuto il momento di dare un orientamento, un carattere riformista al nostro movimento sindacale allo stesso modo, cioè, di ciò che era avvenuto in altri paesi industriali e capitalistici europei: in Inghilterra, in Germania e in alcune parti della Francia. La storia ha dimostrato che questa era, ed è ancor oggi, una illusione, anzi un errore di valutazione molto serio.

«Le strutture sociali, l'assetto economico, l'attrezzatura produttiva, insomma le strutture di base del nostro sistema capitalistico, tutto richiedevano meno che il riformismo. Il riformismo era davvero una sovrastruttura, un cappello troppo stretto per il movimento sindacale e politico. Come poteva pretendere, una 'testa' riformista, di guidare un 'corpo' proletario ribollente di esigenze e di aspirazioni, che dal riformismo non potevano essere soddisfatte neppure 'gradualmente'? Con una struttura economica e una borghesia come quella italiana, di che cosa aveva bisogno il proletariato italiano organizzato, se non di una guida sindacale, e soprattutto politica, molto energica e molto forte, per riuscire a strappare al padronato, a quel particolare padronato italiano, industriale ed agricolo, ciò di cui i lavoratori avevano bisogno, per migliorare almeno di poco le loro condizioni di vita? È a questo punto che dobbiamo chiederci che cosa sia stato il sindacalismo rivoluzionario.

«Scusatemi, non vorrei essere frainteso, perché, come molti di voi sapranno, ci sono stato io stesso in questo movimento; ma che cosa mi piacque di esso, da che cosa rimasi conquistato? Ero ancora ragazzo, allora, quando mi schierai all'opposizione sindacalista del movimento operaio italiano, ma mi colpì appunto quella contraddizione, che vi dicevo, fra il bisogno di un movimento che, per soddisfare esigenze vitali e insopprimibili delle masse aveva la necessità di battersi con grande energia, e lo sforzo che veniva compiuto dall'alto per contenere questo movimento, per mettergli i guanti, per farlo marciare in pantofole; questa contraddizione, che toglieva alle grandi masse la fiducia di riuscire a realizzare le proprie rivendicazioni, anche quelle più elementari, doveva essere liquidata, doveva essere superata.

«Il movimento anarco-sindacalista, in fondo, non fu il risultato di un fascino particolare, suscitato dalle teorie e dagli scritti di un ideologo di primo piano, del francese Georges Sorel. Io non voglio dire niente, qui ed ora, che possa diminuire come scrittore, studioso, polemista e propagandista di questioni sociali e sindacali, il capo, il teorico di questo movimento sindacalista: voglio solo notare che l'ideologia soreliana non è mai riuscita a diventare universale, ad avere una presa potente né negli studiosi, né nelle grandi masse, né tanto meno è riuscita a diventare politicamente egemone, ma è rimasta sempre subalterna. Allora, che cosa era il movimento anarco-sindacalista? Era l'espressione spontanea della rivolta di masse con bisogni e istinti rivoluzionari, le quali si sentivano inceppate da una direzione riformista. Questa contraddizione scoppiava nei centri dove il movimento era più forte, e dove quindi manifestava più prepotente la volontà di avanzare. È scoppiata a Milano, dove questa contraddizione era relativamente più acuta che altrove, dove i bisogni delle masse premevano di più; è scoppiata in Emilia e in Puglia, dove i bisogni e la combattività dei braccianti erano esplosivi. C'ero anch'io fra i braccianti, e condividevo i bisogni e le critiche dei miei compagni di lavoro alla direzione riformista della Cgdl. Era naturale che noi non volessimo sentir parlare della direttiva secondo la quale, ad esempio, per fare lo sciopero dei braccianti a Cerignola, dove stavo io allora, ci voleva prima l'autorizzazione della Federazione nazionale, che stava a Bologna. Bastava accennare solo a questa regola, che il centro confederale voleva imporre al movimento sindacale italiano, perché tutti i braccianti pugliesi dicessero: '...ma vadano al diavolo costoro, che vanno cercando tanta burocrazia nel nostro movimento; non è possibile sopportare un simile accentramento burocratico, noi facciamo da soli'.

«Voglio dire, in sostanza, cari compagni, che questa scissione sindacalista contiene una verità, e quindi un elemento d'insegnamento, che, secondo me, è questo: bisogna che il movimento sindacale, come il movimento politico, di qualsiasi paese abbia una struttura, un orientamento, un indirizzo che sia aderente alle esigenze storiche peculiari, vive, vere, profonde di quello stesso paese, di quelle masse di cui il movimento è interprete e guida, perché se non è così scoppia una contraddizione tra le masse e il sindacato, tra le masse e le organizzazioni politiche: contraddizione che, in quell'epoca, si espresse nella scissione sindacalista e in un'altra epoca o in un altro paese si è chiamata o potrà chiamarsi in un'altra maniera, ma la contraddizione scoppierebbe comunque e sempre».

Da queste considerazioni è opportuno muovere per ricondurre la complessa questione Di Vittorio alla sua giusta dimensione di analisi storica, incentrata su quella duplicità di appartenenza, che non era doppiezza, ma l'espressione più matura della complessità stessa di una biografia e di un percorso intellettuale e politico che aveva attraversato i duri decenni della guerra civile italiana ed europea senza rimanervi del tutto prigioniero ma, al contrario, manifestando intuizioni e indicando prospettive che guardavano al superamento di quelle rigidità e di quelle impostazioni.

Il bracciante dell'unità

di Piero Boni [*]

La concezione del sindacato in Giuseppe Di Vittorio

Riflettere sulla figura e sull'opera di Giuseppe Di Vittorio a cento anni dalla nascita (1892) e a trentacinque anni dalla sua scomparsa (1957) significa da un lato riconoscere come egli rimanga con Bruno Buozzi l'espressione più compiuta di un modello di sindacalismo di cui in parte sono venuti meno i presupposti, dall'altro sottolineare i valori fondamentali e permanenti di autonomia, democrazia e unità che non possono non contraddistinguere in ogni tipo di società un sindacalismo autentico, valori che egli, nelle condizioni in cui operò, cercò sempre di affermare e salvaguardare. Con la sua prorompente personalità la figura di Di Vittorio contraddistingue l'evoluzione del sindacalismo italiano e, anche nelle mutate condizioni attuali, rimane in parte inalterata la validità del suo contributo. Il sindacalismo del XXI secolo ha di fronte a sé prospettive ancora non bene definite ma sicuramente diverse da quelle che nel secolo XX videro Giuseppe Di Vittorio fra i protagonisti. Miti e ideologie sono caduti; si pensi soltanto al crollo dei regimi comunisti e ai profondi mutamenti intervenuti nella struttura sociale delle economie contemporanee, che non consentono più alla classe operaia di assolvere, da sola, il ruolo del passato. In questo mondo così diverso, se il sindacalismo classista di Giuseppe Di Vittorio può ritenersi in parte superato, non si può, malgrado contrarie opinioni e tendenze, considerare superati il ruolo e la funzione del sindacato.

Se Di Vittorio resta l'espressione più compiuta di un modello di sindacalismo non più corrispondente alla realtà attuale, tuttavia

[*] *Presidente della Fondazione Giacomo Brodolini*

è dai risultati raggiunti in quella esperienza che possono essere individuati indirizzi per un modello di sindacato adeguato alle condizioni della società contemporanea.

Il suo impegno sindacale, iniziato nel 1909 fra i braccianti della sua Cerignola, segna il sindacalismo italiano fino alla nuova fase apertasi nel 1980. In questo periodo, anche per opera di Giuseppe Di Vittorio, i lavoratori sono passati da plebe emarginata e sfruttata a cittadini coscienti, partecipi delle sorti del paese.

È col sindacalismo di Giuseppe Di Vittorio che si perviene nel 1970, a oltre vent'anni dalla sua scomparsa, alla realizzazione di quello Statuto dei lavoratori che segna una svolta fondamentale di civiltà e di progresso nei rapporti fra lavoratori e impresa e che vede finalmente entrare, in ogni posto di lavoro, la Costituzione della Repubblica. Lo Statuto, come l'esperienza ha dimostrato e come gli stessi imprenditori hanno riconosciuto, non ha condizionato lo sviluppo dell'impresa e le sue legittime esigenze di efficienza e capacità competitiva, ma ha solo affermato quelle condizioni di dignità e di libertà del lavoratore senza le quali non sono possibili reali progressi sociali, un'economia sana e una capace imprenditorialità.

Di Vittorio avanzò la proposta dello Statuto nel 1952 nel III Congresso della Cgil a Napoli, e la sostenne poi con vigore fino alla sua scomparsa. Createsi le condizioni politiche generali, toccò poi a uno dei giovani che Di Vittorio particolarmente stimava e che era stato suo collaboratore nella segreteria confederale, Giacomo Brodolini, giungere a questa realizzazione, una volta divenuto ministro del lavoro. L'allievo non aveva dimenticato l'insegnamento del maestro.

La dignità e la libertà del cittadino lavoratore non potevano né dovevano essere fine a se stesse, ma premesse e condizioni di uno sviluppo ordinato e civile nel progresso di tutta la società. Tale concezione divittoriana emerge con chiarezza nella proposta del Piano del lavoro. Se il governo avesse condiviso e adottato le misure previste dal Piano per uscire dalla crisi e avviare il paese sulla via di una ripresa più equa ed efficace, i lavoratori sarebbero stati disposti a contenere le loro richieste di miglioramenti salariali, a compiere i sacrifici necessari, ad assumersi le loro responsabilità.

La disputa storica tuttora in corso, se le misure proposte dal

Piano fossero tutte tali da raggiungere gli obiettivi indicati, può avere i suoi aspetti interessanti sul piano accademico, ma la proposta di Di Vittorio e della Cgil non va valutata anche oggi con questo metro.

In quelle condizioni e in quella situazione del 1949, il Piano che la Cgil e per essa Di Vittorio, malgrado la scissione e l'acuta tensione politica e sociale, proponevano alle forze politiche e imprenditoriali, rappresentava ciò che, con la terminologia e l'esperienza attuale, può definirsi un «patto sociale». La risposta fu negativa, malgrado qualche apprezzamento formale, non perché le misure contenute non fossero accoglibili, d'altro canto ad esse non se ne contrappose alcuna definita, ma perché politicamente non si ritenne di poter accettare le implicazioni derivanti dal ruolo del sindacato previsto dal Piano.

Le idee di Di Vittorio però hanno continuato a mostrarsi valide e ad affermarsi, seppur fra contraddizioni e ritardi. Le successive posizioni della Cgil e di tutto il nostro schieramento sindacale dagli anni sessanta in avanti, in materia di programmazione economica, di politica dei redditi e recentemente di «patto sociale», in ultima analisi muovono tutte dalle indicazioni di cui per primo si fece interprete l'allora segretario generale della Cgil.

Sempre al lume dell'esperienza odierna, anche in una materia così importante e decisiva quale la contrattazione, gli orientamenti che ebbero in Di Vittorio il protagonista sembrano tornare attuali e calzanti e addirittura costituire un'inversione di tendenza rispetto a certe critiche che, specie negli anni settanta, furono rivolte alle scelte contrattuali sostenute da Di Vittorio nell'immediato dopoguerra. A queste scelte è stato formulato il rilievo di aver privilegiato l'azione di coordinamento e di indirizzo della Cgil rispetto alle esigenze di articolazione e decentramento delle categorie.

Pur sfuggendo alle facili ritorsioni polemiche, che la situazione odierna potrebbe consentire, va ancora una volta sottolineato come non fosse possibile operare diversamente in una situazione come quella dell'immediato dopoguerra, contrassegnata dalle distruzioni, dalla fame, dalla disoccupazione e dall'esigenza primaria della ricostruzione per assicurare a tutti i lavoratori le condizioni minime di sostentamento. Altre vie e altre soluzioni non esistevano.

Con legittimo orgoglio, Di Vittorio, che non era certo un presuntuoso pur se aveva una giusta considerazione di sé, amava ricordare a noi, allora giovani, che anch'egli come un altro Giuseppe (Garibaldi) aveva concorso ottanta anni dopo la spedizione dei Mille a unificare l'Italia attraverso la contrattazione, sia con gli accordi interconfederali che con i contratti nazionali validi sul piano economico e normativo dalle Alpi alla Sicilia. Durante il ventennio la contrattazione dei sindacati fascisti aveva eliminato questa conquista già raggiunta nel 1919-1920 dai metallurgici e dai chimici.

Con la «storica» autocritica, che lo vide protagonista dopo la sconfitta della Fiom alla Fiat nel 1955, nel Comitato direttivo della Cgil dell'aprile, Di Vittorio poneva le basi di quella che poi sarebbe divenuta un'altra acquisizione fondamentale del nostro sistema di relazioni industriali: la contrattazione aziendale o articolata, sancita contrattualmente cinque anni dopo la sua scomparsa (1962, contratto dei metalmeccanici).

L'apporto di Di Vittorio fu decisivo per portare la Cgil e le sue categorie su queste nuove posizioni. La sua adesione ai nuovi indirizzi fu il risultato di un lungo e non facile dibattito all'interno della Cgil che, oltre al citato Comitato direttivo del 1955, ebbe i suoi momenti di appassionato confronto al IV Congresso della Cgil a Roma nel 1956. Ad esso Di Vittorio, con la generosità consueta, volle intervenire e parlare, benché fosse appena uscito dal primo attacco del male che doveva portarlo alla morte e i medici gli avessero sconsigliato di sottoporsi a un tale sforzo. Agli inizi del confronto interno, Di Vittorio aveva molto considerato l'argomento sostenuto con forza da parecchi compagni fra i quali Bitossi, Montagnana e Noce, secondo i quali la contrattazione aziendale avrebbe potuto incrinare l'unità di classe fino a un deteriore aziendalismo corporativo. Di contro «i giovani» di allora, Lama, Foa, Brodolini, Trentin e chi scrive, con il sostegno di Novella, replicavano che, ferma restando la validità del contratto nazionale che nessuno poneva in discussione, occorresse, dato lo sviluppo differenziato assunto dalle imprese, adeguare meglio la contrattazione nazionale alle singole e specifiche condizioni di lavoro, specie in materie di stretta pertinenza aziendale quali i cottimi, l'orario, l'inquadramento, la tutela della salute. Questo indirizzo non avrebbe annullato bensì rafforzato, come i fatti confermarono di lì a poco, la contrattazione nazionale.

Di Vittorio comprese che «i giovani» avevano ragione e la Cgil con lui si avviò alle nuove acquisizioni che sono state uno dei fattori fondamentali della ripresa sindacale degli anni settanta.

L'unità fattore fondamentale

La ripresa sindacale iniziata nel 1962 con la realizzazione della contrattazione aziendale e sviluppatasi successivamente con l'«autunno caldo», con la conquista delle quaranta ore a parità di salario, lo Statuto dei lavoratori, l'inquadramento unico, i Consigli di fabbrica, le 150 ore per i lavoratori studenti e l'impegno per le riforme in materia di politica economica, fisco, casa, sanità, previdenza, mezzogiorno ecc., può collocarsi nell'evoluzione di quel sindacato che aveva avuto in Di Vittorio uno dei suoi più autorevoli esponenti. Questa ripresa tuttavia ha mancato proprio sul tema che costituisce l'asse centrale del pensiero, dell'azione e dell'eredità che egli ha lasciato: la ricostituzione dell'unità sindacale.

Nella concezione sindacale di Di Vittorio l'unità assume valore primario e fondamentale. Senza unità non ci può essere sindacato. L'unità, una volta perduta, va riconquistata. Senza la convinzione profonda dell'assoluta necessità di questa condizione primaria, non può svilupparsi un'azione sindacale veramente efficace e duratura e affermarsi un sindacato autentico in grado di essere strumento di elevazione civile e ordinato progresso sociale.

A questa fondamentale acquisizione il bracciante Di Vittorio pervenne da solo, senza maestri, senza istruzione, nell'asprezza delle sue prime esperienze sindacali, ad essa rimanendo intransigentemente fedele fino alla morte. Le sue ultime parole, a Lecco, in quel tragico mattino del 4 novembre 1957, sono parole di unità.

Nel corso della sua esistenza egli rafforzerà questa consapevolezza, in una visione più lucida e completa, con i valori di autonomia e democrazia sindacale. L'unità resta però nella concezione sindacale di Di Vittorio viva e presente così come egli era riuscito a costruirla in parte nella sua Puglia, fra i suoi braccianti, negli anni dei suoi esordi e del primo affermarsi del movimento sindacale fino al periodo fascista.

Quando Di Vittorio nel 1909 portò la Lega braccianti di Cerignola alla conquista delle nove ore di lavoro e al primo accordo sindacale della zona, il movimento sindacale italiano era già uscito dalla sua fase iniziale. La Confederazione generale del lavoro si era costituita nel 1906 e dal 1901 si erano costituite la Fiom e la Federterra, e viva era la polemica e acuto il confronto tra la riformista Cgdl e le sue organizzazioni, e il sorgente sindacalismo rivoluzionario che, nel 1912, darà vita all'Usi (Unione sindacale italiana).

L'adesione di Di Vittorio al sindacalismo rivoluzionario può comprendersi nel quadro di sfruttamento e desolazione della Puglia, come scelta di quel movimento che a lui appariva il più deciso e il più impegnato in una effettiva difesa dei lavoratori. Questa adesione non contraddisse però la profonda vocazione unitaria di «Peppino» perché, nel contrasto fra la Cgdl e l'Usi, egli in Puglia sostenne la tesi non settaria che in ogni comune non dovesse esserci scissione ma che dovessero continuare a sussistere una sola Camera del lavoro e una sola Lega, secondo la scelta a maggioranza dei lavoratori interessati.

Di Vittorio era così convinto dell'esigenza dell'unità che propose, inascoltato, l'adesione dell'Usi alla Cgdl, al fine di rendere quest'ultima più combattiva. In ultima analisi Di Vittorio interpretò «alla Di Vittorio» le teorie del sindacalismo rivoluzionario e le sue posizioni massimaliste settarie non soltanto sul terreno sindacale ma anche su quello politico. Così, ad esempio, nelle elezioni politiche del 1913, contro gli indirizzi astensionisti dell'Usi, appoggiò la candidatura di Salvemini nelle liste del Psi.

Come nel sindacalismo rivoluzionario non potesse ritrovarsi una figura quale quella di Di Vittorio fu chiaro nell'immediato dopoguerra. Egli, che pure aveva condiviso le posizioni interventiste della maggioranza degli esponenti dell'Usi, divenne fiero antifascista e deputato socialista nelle elezioni del 1921, mentre finivano dall'altra parte qualificati esponenti del sindacalismo rivoluzionario, da Rossoni a De Ambris. L'iscrizione successiva di Di Vittorio al partito comunista è comprensibile, sempre considerando il personaggio, come scelta verso quella forza politica che, dopo il successo della Rivoluzione d'ottobre, rappresentava, in Italia e all'estero, una delle espressioni più coerenti e intransigenti di opposizione al fascismo e per una società in cui i lavoratori fossero liberati dallo sfruttamento.

Anche nell'esilio e nell'emigrazione, il sindacato continuò ad essere il primario interesse del comunista Di Vittorio, sia nel campo dell'agricoltura sia poi come dirigente di quella parte della Cgdl che aderì all'Internazionale sindacale comunista.

Anche in queste travagliate vicende nelle quali non poteva non prevalere l'obiettivo politico della lotta antifascista, quando in Francia, dopo il riavvicinamento fra socialisti e comunisti, si fece strada nel 1936 la prospettiva del superamento della divisione intervenuta nella Cgdl, la concezione unitaria di Di Vittorio prevalse nella delegazione comunista. Egli convenne con Buozzi che la nuova Cgdl unificata, che doveva operare all'estero e continuare ad essere clandestina in Italia, aderisse alla Federazione sindacale internazionale di Amsterdam (socialdemocratica) della quale la vecchia Cgdl faceva parte fin dalla costituzione.

La guerra di Spagna, nella quale per due volte Di Vittorio fu presente nel battaglione italiano Garibaldi, e poi il conflitto mondiale impedirono che il progetto della rinnovata Cgdl potesse essere completamente realizzato ma le premesse per la ricostituzione unitaria del sindacalismo italiano erano state poste.

Le vicende del conflitto accomunarono nel carcere e nel confino i destini di Di Vittorio e di Buozzi, che si ritrovarono a Roma dopo la caduta del fascismo il 25 luglio 1943 e l'insediamento del governo Badoglio.

Buozzi, con il consenso del Comitato dei partiti antifascisti che andavano ricostituendosi, assunse la carica di commissario dei disciolti sindacati fascisti dell'industria, ma volle accanto a sé, al sindacato dell'agricoltura, Di Vittorio, e Achille Grandi, l'ex segretario della Confederazione dei sindacati cattolici prefascisti (la Cil). In poco più di un mese e con i problemi dell'uscita dell'Italia dal conflitto, poco poterono fare i commissari, ma anche quella breve esperienza consentì a Buozzi, a Di Vittorio e a Grandi di intravedere su quali basi potesse alla fine della guerra risorgere un movimento sindacale autonomo, democratico e possibilmente unitario.

Così dopo l'8 settembre, nella clandestinità imposta dall'occupazione nazifascista di Roma, i contatti fra sindacalisti antifascisti continuarono a svilupparsi fino alla stipulazione di quel Patto di

Roma, il 3 giugno 1944, con il quale si decideva la ricostituzione di un libero movimento sindacale italiano e, per la prima volta nella sua storia, esso assumeva forma unitaria in una organizzazione denominata Confederazione generale italiana del lavoro (Cgil). L'unità sindacale aveva prevalso per l'impegno e la lungimiranza dei suoi più autorevoli negoziatori: Buozzi, Di Vittorio e Grandi. A Buozzi, arrestato dai tedeschi nell'aprile del 1944 e fucilato dalle SS in fuga alla vigilia della liberazione di Roma, il destino crudele non consentirà di vedere operante quell'unità sindacale cui aveva dedicato tanta parte della sua esistenza.

Sulle vicende che portarono alla conclusione del Patto di Roma, la pubblicistica è ora in grado di offrire un quadro abbastanza approfondito, anche se forse non ancora completo. Non è il caso in questa sede di analizzarle più compiutamente. Un aspetto, tuttavia, non può non essere richiamato seppur schematicamente. La storiografia prevalente, e anche quella sindacale, considera il Patto di Roma come una conseguenza automatica della politica di unità antifascista. Che la costituzione della Cgil abbia trovato nell'unità antifascista del Cln (Comitato di liberazione nazionale) una delle condizioni più favorevoli è fatto scontato e innegabile. Dovrebbe essere però altrettanto indiscutibile che il Patto di Roma va oltre il piatto recepimento di un indirizzo politico.

In ipotesi, anche senza l'unità sindacale, l'unità antifascista poteva perseguire la liberazione del paese, il ritorno alla democrazia e la ricostruzione. L'unità antifascista era a termine e sarebbe cessata con la fine dell'emergenza e della fase di transizione. L'unità sindacale, nella volontà dei suoi negoziatori, è stata invece una scelta di politica sociale con valenza e implicazioni più profonde. È sufficiente rileggere il Patto per rendersene conto. In esso vi sono una precisa concezione del sindacato: unitaria, autonoma e democratica, e primi definiti indirizzi di politica economica e sociale.

In un suo saggio sulla rivista *Rinascita* del luglio 1944 Di Vittorio indica con acume il nodo politico-ideologico che si è dovuto sciogliere per poter pervenire ad un sindacato nel quale, per la prima volta in Italia, fosse superato lo storico steccato fra «rossi e bianchi», fra movimento operaio di ispirazione marxista e movimento sociale cattolico. Per arrivare alla conclusione fu necessario, nelle forme opportune, anche l'avallo del Vaticano. In una certa fase delle trattative su questo dato di fondo si manifestò una diversità di apprezzamento fra Buozzi e Di Vittorio circa le garanzie di pluralismo e di rispetto della fede religiosà che dovevano contraddistinguere la nuova organizzazione.

Il fatto che l'unità sindacale sia praticamente durata quanto l'unità antifascista e che entrambe siano finite per le stesse cause, nulla toglie alle considerazioni legittime che evidenziano la validità sindacale e l'autonomia del Patto di Roma. L'unità antifascista, esaurita la sua stagione, lasciò il campo al libero confronto politico nella Repubblica. L'unità sindacale, seppur infranta, mantenne viva la concezione che l'aveva animata e che continuò ad ispirare tutto il sindacalismo italiano, divenendo un obiettivo da riconquistare che, almeno in teoria, nessuno osava mettere in discussione.

Storicamente, come è ampiamente documentato, non furono cause intrinseche a minare l'unità sindacale né l'atteggiamento della Cgil per l'attentato all'onorevole Togliatti nel luglio 1948, ma eventi di portata mondiale e situazioni politiche che non potevano non travolgere anche il sindacato e l'unità della Cgil.

Nella tensione della scissione e nella difficoltà di avvenimenti talvolta tragici, Di Vittorio, che considerava l'accaduto quasi come una sconfitta personale, diede dimostrazione ancora una volta dello spirito unitario che lo animava. L'unica categoria nella quale gli scissionisti della corrente cristiana erano maggioranza era la Federazione della scuola. La Cgil, per indicazione del suo segretario generale, invitò i propri aderenti socialisti e comunisti, contrari alla scissione, a non rompere l'unità della categoria così che la minoranza Cgil disciplinatamente rispettò le decisioni della maggioranza scissionista che doveva poi dar vita alla Cisl. Egualmente nella successiva scissione socialdemocratica e repubblicana, che avrebbe portato alla costituzione della Uil, Di Vittorio continuò a cercare di mantenere i migliori rapporti possibili con chi si allontanava, e con la Uil egli pose le basi di una politica di unità d'azione che poi potesse coinvolgere anche la Cisl.

Se la politica di unità d'azione, che divenne il nuovo indirizzo prioritario della Cgil, non poté conseguire in quegli anni duri e difficili (1950-1955) risultati apprezzabili, ciò non dipese tanto da limiti, che pur ci furono, nell'impegno unitario della Cgil, quanto dall'offensiva politica che allora fu portata alla Cgil e a tutta la sinistra italiana. Gli accordi separati furono sempre subiti, nel tentativo sia di evitare fino all'ultimo condizioni inaccettabili per la Cgil, sia di respingere l'attacco e la discriminazione verso i suoi militanti.

Anche quando si giunse a gravissimi episodi come gli eccidi di Modena, Melissa, Montescaglioso ecc., Di Vittorio operò per evitare l'acuirsi delle tensioni e seppe guidare con autorevolezza la protesta e la legittima reazione dei lavoratori.

La Cgil, pur in quei tempi così difficili, seppe conservare l'adesione della maggioranza dei lavoratori e rimanere sindacato.

L'unità sindacale non era tattica, ma politica permanente e questione di principio, per Di Vittorio come per tutta la Cgil.

Il rapporto sindacato-istituzioni

Questa concezione sindacale unitaria, per il notevole apporto di Giuseppe Di Vittorio, si ritrova anche negli articoli 39 e 40 della Costituzione (ordinamento sindacale) approvata nel 1947, prima della scissione, con generale consenso.

La tematica della collocazione istituzionale del sindacato era stata uno dei punti più delicati e controversi nei negoziati del Patto di Roma, ed era rimasta irrisolta sia per il permanere di posizioni differenziate fra cattolici, socialisti e comunisti, sia per l'arresto di Buozzi che ne aveva impedito la partecipazione alle ultime fasi delle trattative.

Nell'Assemblea costituente, il contributo di Di Vittorio fu rilevante e nella commissione che ha redatto il testo definitivo della Costituzione e nella terza sottocommissione che si è occupata dell'ordinamento sindacale. In questa Di Vittorio assolse l'incarico di relatore e, per il suo intervento a volte decisivo, furono formulati gli articoli in questione.

La legittimità e la libertà di azione del sindacato ricevettero sanzione costituzionale. Nei confronti dello Stato e del suo ordinamento il sindacato non può essere sottoposto ad alcun obbligo che ne condizioni l'attività. Per stipulare contratti collettivi validi per tutti gli appartenenti alla categoria, le delegazioni alle trattative devono essere formate in misura proporzionale agli iscritti. Il sindacato può essere registrato a condizione che il suo statuto preveda un'organizzazione interna democratica. I sindacati registrati hanno personalità giuridica.

L'articolo 39 concilia così, con soluzioni equilibrate, da un lato la libertà sindacale e dall'altro l'estensione dell'efficacia obbligatoria dei contratti per tutti i lavoratori di una stessa categoria (*erga omnes*). Il rapporto del sindacato con le istituzioni è in tal modo legittimato senza alcun condizionamento salvo il requisito fondamentale della sua democrazia interna e l'adozione del metodo proporzionale, anch'esso garanzia di democrazia sostanziale, per la stipulazione dei contratti collettivi di efficacia generale.

Per questa soluzione Di Vittorio si batté con il consueto impegno, rivelando una chiarezza di pensiero, un intuito giuridico e un senso dello Stato sorprendenti in un bracciante autodidatta. Il suo discorso all'Assemblea costituente del 7 maggio 1947 resta tuttora un testo esemplare. L'unità sindacale non era ancora minacciata in quel periodo, tuttavia è evidente come Di Vittorio, nelle formule dell'articolo 39, abbia cercato di contenere tutti i pericoli e le conseguenze più nocive di un'eventuale scissione.

Come ancora una volta l'intuizione fosse lungimirante, fu confermato dallo svolgimento successivo degli avvenimenti.

Avvenuta la scissione, la Cisl, al fine di avere possibilità di affermarsi, si oppose sistematicamente all'attuazione dell'articolo 39, con la teoria che esso veniva a condizionare l'autonomia contrattuale e che il riconoscimento giuridico consentiva ingerenze dello Stato. Teoria discutibile, anche se condivisa in dottrina da una corrente di giuslavoristi. In effetti non si intendeva tanto salvaguardare l'autonomia contrattuale né tutelarsi da eventuali ingerenze dello Stato, quanto affermare la possibilità di stipulare contratti e accordi separati ed evitare il ricorso all'adozione del metodo democratico proporzionale che avrebbe evidenziato l'effettiva consistenza di questa organizzazione.

La Cgil invece, fino alla morte di Di Vittorio, continuò a sostenere l'applicazione dell'articolo 39, modificando questo indirizzo solo negli anni settanta, quando sembrava possibile una nuova unità sindacale. Una nuova unità sindacale valeva questa rinuncia ed era un prezzo che anche Di Vittorio non avrebbe certamente esitato a pagare.

Scioltasi nel 1984 la Federazione Cgil-Cisl-Uil, questa problematica è fatalmente riemersa con forza nel divario, sempre più insostenibile, fra Costituzione formale e Costituzione materiale, anomalia che fa del sindacalismo italiano un caso unico in Europa e forse nel mondo.

Sono così tornati attuali e cogenti gli indirizzi divittoriani che, salvaguardando la libertà sindacale, la ancorano a effettivi princìpi democratici di rappresentatività.

Egualmente si può considerare un successo postumo di Di Vittorio la legge sull'esercizio del diritto di sciopero, che applica l'articolo 40 della Costituzione, che Di Vittorio sostenne e anticipò nello Statuto della Cgil laddove l'esercizio dello sciopero nei pubblici servizi era sottoposto a particolari procedure interne.

In ultima analisi regge ai tempi il rapporto sindacato-istituzioni, teorizzato e voluto da Di Vittorio, in condizioni assai mutate da allora.

Non è tanto il senso dello Stato, che pur non gli mancava, o la preparazione giuridica di cui si era impadronito, a dare ragione a Di Vittorio quanto il fatto che nel sostenere questi indirizzi egli attingeva al meglio della sua esperienza unitaria di sindacalista con lucidità e chiarezza intellettuale.

Il rapporto sindacato-partito

Incentrando queste note sulla figura di Di Vittorio come fautore coerente dell'unità sindacale, necessariamente occorre rispondere all'interrogativo in che modo il comunista Di Vittorio seppe conciliare la sua vocazione sindacale unitaria con la sua milizia politica.

Occorre anzitutto riconoscere che il prestigio e l'autorevolezza che Di Vittorio si conquistò subito dopo la liberazione di Roma (1944), il legame che egli con naturalezza riuscì a stabilire coi lavoratori, la sua lealtà, il suo senso di misura, la sua fantasia nel trovare soluzioni semplici nelle situazioni più complicate, la dignità con la quale seppe trattare autorità alleate e di governo, fecero subito di lui una delle personalità che meglio interpretavano le esigenze di rinnovamento del paese e le aspirazioni dei lavoratori.

Egli era in grado di sviluppare un'enorme capacità di lavoro e riceveva tutti. La sua giornata in Cgil cominciava col suo arrivo verso le 10 e finiva verso le 23. Una personalità così prorompente, costruitasi tutta da sola anche in un partito di ferrea disciplina come il Pci dell'immediato dopoguerra, costituiva un caso a sé e un problema. Di Vittorio era più popolare di Togliatti e i suoi comizi riempivano le piazze con più facilità che quelli del segretario generale del Pci.

Di Vittorio era un comunista particolare, nel quale l'appartenenza al partito significava adesione ideale alla causa dell'elevazione dei lavoratori, non un'acquisizione dogmatica né tanto meno settarismo ideologico. L'appartenenza ad un partito è legittima per un organizzatore sindacale, cui spetta sempre saper conciliare il suo impegno sindacale con quello politico. Su questo equilibrio difficile si misurano le vere vocazioni sindacali e si distinguono i sindacalisti autentici.

Se è vero, come si può osservare, che la politica della Cgil, nei tredici anni di guida di Di Vittorio, non ha presentato differenziazioni sostanziali dalla politica perseguita in quel periodo dal Pci e dalla sinistra in genere, ciò è comprensibile – come già rilevato – per le caratteristiche di quegli anni e la natura degli avvenimenti. La Cgil dopo la scissione non aveva altre scelte per tutelare sia gli effettivi interessi dei lavoratori sia al limite la stessa autonomia sindacale, la cui notazione primaria è costituita dall'indipendenza dal padronato e dai governi. Di Vittorio però è stato tutt'altro che un meccanico esecutore di una politica di partito. Pur nelle condizioni del tempo, la sua politica sindacale fu criticata a volte in sede di partito perché giudicata non sufficientemente combattiva. Fu sua la scelta del Piano del lavoro che certo non si inquadrava, così come fu sviluppata, in ortodosse direttive comuniste. Di Vittorio non condivise la posizione del Pci sulla Cassa del mezzogiorno, sulla riforma agraria e sul Mec, nei confronti del quale la posizione della Cgil fu di cauta attesa rispetto a quella negativa del Pci.

Quanto la concezione leninista del sindacato «cinghia di trasmissione del partito» non appartenesse al sindacalista Di Vittorio emerse con tutta chiarezza nell'ottobre del 1956 con l'invasione sovietica dell'Ungheria.

La posizione della Cgil fu di condanna dell'invasione, mentre quella del Pci fu di approvazione. Di Vittorio fu apertamente criticato in sede di partito e si cercò di fargli mutare atteggiamento e di accreditare la tesi di un suo cedimento ai socialisti. Chi ha vissuto quei giorni può serenamente testimoniare che, se il testo della risoluzione fu steso dai socialisti (Brodolini), Di Vittorio non solo non fece obiezioni ma manifestò convinta adesione.

Del resto l'intervento che qualche tempo dopo Di Vittorio svolse al VII Congresso del Pci del dicembre 1956 costituisce l'indicazione più convincente del suo pensiero. In un'atmosfera gelida, con dignità che celava una rabbia contenuta, Di Vittorio ribadì con forza l'autonomia del sindacato e il rifiuto di ogni cinghia di trasmissione.

L'unica ombra su questo terreno resta l'aver egli conservato la carica di presidente della Federazione sindacale mondiale (Fsm) nella quale non erano in discussione gli indirizzi della politica estera sovietica. Solo nel 1973 la Cgil uscirà dalla Fsm.

A Di Vittorio non sfuggiva il raccordo dialettico fondamentale che intercorre fra unità e autonomia. In che misura l'organizzazione interna della Cgil in correnti di affinità partitica veniva a contraddire il requisito dell'autonomia? A questa obiezione si può rispondere osservando che l'organizzazione interna correntizia della Cgil, pur presentando in teoria limiti innegabili, ha costituito e voluto essere anzitutto una garanzia delle minoranze e una misura opportuna per assicurare il pluralismo interno delle posizioni. Non casualmente tale struttura fu sostenuta dai cattolici e dai socialisti e da questi ultimi fu ribadita anche dopo la scissione. Con la legittimazione delle correnti sia nel Patto di Roma che dopo, si intendeva affermare la composizione pluralistica dell'organizzazione. Il richiamo politico delle correnti era d'altro canto un fatto storico innegabile del quale prendere atto con realismo.

Si deve poi riconoscere come con le correnti siano passati idee e fatti inconciliabili con una effettiva autonomia sindacale, ma questa constatazione non è tale da porre in discussione le ragioni che sono all'origine dell'organizzazione interna della Cgil. In ogni fase storica i valori permanenti di un sindacato, come di qualunque istituzione sociale, vanno adattati e sviluppati nelle concrete e specifiche condizioni che si presentano. In modo improprio e discutibile le correnti della Cgil hanno tuttavia cercato di essere strumento di autonomia e fattore di unità.

71

Negli anni settanta, quando sembrava vicina una nuova unità sindacale, la soluzione di questo problema in un sindacato più maturo e sperimentato non presentò difficoltà particolari. Da parte della Cgil-Cisl-Uil unanimemente si convenne che l'eventuale nuovo sindacato unitario non si sarebbe strutturato per correnti di richiamo partitico, pur rimanendo ovviamente tutelate e garantite le espressioni di tutte le posizioni sindacali e degli orientamenti politici e religiosi.

Come deciso al XII Congresso della Cgil svoltosi a Rimini nell'ottobre 1991, le correnti sono sciolte e restano indicative di una fase dell'evoluzione del sindacalismo italiano. Questa acquisizione non poteva essere che il risultato di un processo graduale, come in effetti è stato.

Appartiene a questa più aggiornata concezione dell'autonomia sindacale anche l'introduzione del principio di incompatibilità fra cariche sindacali e incarichi politici. Nella Cgil come nella Cisl e nella Uil questo indirizzo è stato oggetto di confronti accesi, tutti risoltisi con il prevalere delle tesi incompatibiliste.

Anche dopo lo scioglimento della Federazione Cgil-Cisl-Uil nessuna organizzazione si è assunta la responsabilità, nonostante qualche incertezza, di rinnegare un'acquisizione che, se non esaurisce tutte le condizioni dell'autonomia, ne rappresenta tuttavia un aspetto significativo.

Su questo tema quale sarebbe stato l'atteggiamento di Di Vittorio, nel dopoguerra ininterrottamente deputato nelle liste del Pci? L'unità sindacale ha rappresentato per Di Vittorio, in tutta la sua vita, come egli stesso non mancava mai di ripetere, «il bene più prezioso dei lavoratori». Se negli anni settanta l'incompatibilità ha costituito una delle condizioni per una rinnovata unità, Di Vittorio non si sarebbe certo sottratto al raggiungimento di quell'obiettivo.

Possibilità di nuove prospettive di unità sindacale

I cento anni dalla nascita di Di Vittorio pongono quindi l'interrogativo: è possibile nelle condizioni odierne porsi realisticamente il problema di una nuova prospettiva unitaria nel nostro paese dopo il fallimento della Federazione Cgil-Cisl-Uil nel 1984? La

risposta comporta necessariamente un tentativo corretto di indivi-
duazione delle cause che hanno portato al fallimento dell'esperimento unitario sviluppatosi nei primi anni settanta.

Come è noto, nella riunione congiunta dei tre Consigli generali
di Cgil-Cisl-Uil, tenutasi a Firenze nel novembre 1971 e passata
alla cronaca sindacale con la denominazione di «Firenze 3», fu
approvato a larghissima maggioranza un documento programma-
tico che sanciva i princìpi generali del nuovo sindacato unitario e
fissava per il 21 settembre 1972 la data entro la quale si sarebbero
dovuti svolgere i congressi di scioglimento di Cgil-Cisl-Uil e la
convocazione nei successivi cinque mesi, al più tardi nel febbraio
1973, del congresso costitutivo della nuova Confederazione sindacale unitaria.

La Uil prima e poi la Cisl, con gravi crisi interne, vennero
meno a questo impegno. Al posto del sindacato unitario nel luglio
1972 si diede vita alla Federazione Cgil-Cisl-Uil considerata «un
ponte verso l'unità». La Federazione non assolse questo compito,
dando così ragione a quanti la giudicavano alla sua costituzione
non un «ponte» ma un arresto del processo unitario (socialisti
della Cgil ed esponenti della Flm come Trentin, Carniti,
Benvenuto). La Federazione si sciolse nel febbraio 1984 per il
dissenso sull'accordo di S. Valentino fra maggioranza comunista
della Cgil e Cisl e Uil. Ormai da quasi un decennio sussiste solo
una pratica tormentata di unità d'azione, ma dal 1984 nessuna
valida ripresa di un effettivo impegno unitario. Anche nell'ultimo
congresso della Cgil a Rimini nell'ottobre del 1991 il tema è stato
ripreso con forza, senza però pervenire fino ad ora a risultati
incoraggianti.

Ripercorrendo sommariamente queste fasi si può affermare
con fondatezza che la ripresa unitaria in Italia è fallita per cause
eminentemente politiche. Nei travolgenti anni settanta, dopo
l'autunno caldo, il livello di autorevolezza, di prestigio e di forza
raggiunto dal sindacato, in una situazione politica che rimaneva
incerta e confusa, ha incontrato l'ostilità manifesta della
Democrazia cristiana e del Vaticano, sia l'uno che l'altro timorosi
che una rinnovata unità sindacale potesse favorire un ulteriore
incremento dell'influenza politica della sinistra e segnatamente
del partito comunista. A sua volta quest'ultimo, pur formalmente
favorevole all'unità sindacale, ha cercato di condizionare lo svi-

luppo unitario collegandolo alle prospettive prioritarie di un suo ingresso nella maggioranza di governo. Il partito socialista è stato il solo che non ha avuto riserve sullo sviluppo del processo unitario, ma il suo peso politico non è stato tale da superare le resistenze e le perplessità democristiane e comuniste.

A questi comportamenti politici faceva riscontro l'ostilità delle forze imprenditoriali, dalla Confindustria alla Confagricoltura, e di quelle moderate e di destra compresa la Massoneria.

Queste affermazioni avrebbero bisogno di un esame più particolareggiato, ma a nostro avviso la conclusione non potrebbe rimanere che quella indicata: prevalenza di cause politiche e quindi di carenza di autonomia sindacale, malgrado la forza raggiunta dal sindacato.

Non è un caso che nella bibliografia sindacale non sia stato ancora condotto, come sarebbe auspicabile, uno studio approfondito sulle vere ragioni del fallimento dell'unità sindacale negli anni settanta.

Lo storico potrà infatti difficilmente contestare che lo scioglimento della Federazione Cgil-Cisl-Uil e il successivo referendum indetto dal Pci sui contenuti dell'accordo di San Valentino sono stati provocati da scelte politiche che hanno prevalso su quelle sindacali. Lo svolgersi degli avvenimenti pertanto sembra dare ragione a quanti ritengono che il Patto di Roma sia stato una conseguenza di un indirizzo prevalentemente politico e non tanto sindacale.

È vero tuttavia che, nonostante queste vicende, sarebbe sbagliato ritenere il sindacalismo italiano condannato perennemente alla divisione e alla subordinazione politica. Ciò non solo segnerebbe, malgrado tutto, un ruolo secondario del sindacalismo italiano nella storia del paese, ma darebbe altresì ragione alla tesi che nei paesi a notevole influenza cattolica: Spagna, Francia, Italia, Belgio, Olanda, per ragioni storiche, culturali e politiche è impossibile una stabile unità sindacale realizzabile invece nei paesi del nord Europa: Germania, Regno Unito, Scandinavia, e anche negli Stati Uniti, ove l'influenza e la tradizione cattolica sono assai più limitate.

Se si considerano invece le evoluzioni più recenti sul piano economico, sociale e politico, si può pervenire alla valutazione che storicamente l'ipoteca politica sul sindacalismo italiano si sta attenuando ed è ormai tale da non poter più costituire un ostacolo insuperabile.

Lo sviluppo della società postindustriale, nonostante le attuali gravi difficoltà, ha portato ad una composizione del mondo del lavoro sempre più frammentata e complessa, nella quale gli schemi ideologici classisti risultano superati ma al contempo non è stata eliminata l'esigenza di una dialettica derivante dal lavoro dipendente, prevalente tuttora e prevedibilmente anche in futuro. Non casualmente nella terminologia sindacale si è sostituita alla parola «classe» la parola «solidarietà», a ribadire come sia sempre più necessario il ruolo di un sindacato capace non solo di difendere gli interessi immediati ma di ricomporre le diverse e complesse esigenze del lavoro dipendente attraverso un contributo sempre più rilevante ad una politica di sviluppo e di progresso sia sul piano nazionale che di impresa. A tal fine l'unità sindacale si conferma come condizione indispensabile.

Attualmente l'ipoteca politica, se non caduta, risulta meno determinante dopo il crollo delle ideologie e dei regimi comunisti, che ha portato in Italia all'evoluzione del Pci in Pds, allo scioglimento della corrente sindacale comunista e ad una situazione nella quale la tradizionale influenza del disciolto partito comunista si è articolata in orientamenti sindacali differenti. Il rapporto sindacato-partito si pone ora in termini del tutto diversi dal passato. Questo rapporto, che non poche amarezze e scontri portò al sindacalista Di Vittorio, è aperto a una dialettica e a uno sviluppo impensabile ai suoi tempi.

Sempre in Italia la crisi dei partiti, che minaccia la nostra democrazia, investe anche il partito democratico cristiano, con movimenti cattolici di base che si battono per un rinnovamento politico istituzionale del quale l'unità sindacale potrebbe costituire una componente di grande rilievo.

Anche la pregiudiziale religioso-ideologica del mondo cattolico verso l'unità sindacale è caduta, se si considera il profondo rinnovamento della dottrina sociale cattolica contenuto nella recente enciclica «Centesimus annus». Al lume di questa svolta i lavoratori e i sindacalisti cattolici sono liberati da ogni riserva, in quanto l'enciclica sollecita il loro contributo a un sindacato moderno e unitario, fattore di elevazione umana. Il Psi, seppure in crisi per molteplici fattori, mantiene inalterato il suo tradizionale

75

impegno verso l'unità sindacale.

In conclusione, l'ipoteca politica che in forme e gradi diversi ha ostacolato, dopo la scissione sindacale del 1948, la ricostituzione unitaria è ormai logora e oggettivamente non più in grado di condizionare, come in passato, un possibile e rinnovato sviluppo unitario del sindacalismo italiano. Come l'esperienza insegna, l'unità sindacale resta sempre più collegata con i valori fondamentali di autonomia e democrazia, valori che si sono affermati e diffusi nella società civile, malgrado tutte le difficoltà.

In questa prospettiva la lezione unitaria del bracciante Giuseppe Di Vittorio mantiene inalterati la sua immanenza e il suo fascino.

L'unità sindacale nel pensiero di Giuseppe Di Vittorio

di Vincenzo Saba *

Scelgo, per un primo accostamento al tema dell'unità sindacale in Di Vittorio, un testo dello stesso Di Vittorio: e questo mi sembra corretto, per togliere la tentazione, fortissima quando si parla di Di Vittorio, di fare discorsi retorici e campati in aria nonché, quasi fatalmente, politici. Il testo è la risposta che egli dà alla domanda contenuta al punto 6 di un questionario che gli è stato inviato allo scopo di chiedergli un saggio da pubblicare in un'opera collettanea (che di fatto apparirà nel 1955 sotto il titolo *I sindacati in Italia* nelle edizioni Laterza). La storia del volume è raccontata dagli stessi editori nell'avvertenza che essi premettono all'opera. Per giustificare la pubblicazione e il modo particolare con cui essa viene realizzata, attraverso, cioè, l'assemblaggio di saggi scritti da dirigenti sindacali, gli editori provvedono anzitutto a chiarire quale è stata la loro intenzione e come hanno pensato di realizzarla. Essi sono partiti da quello che chiamano, con una parola impegnativa, un proprio «convincimento»: secondo il quale nessuna politica può essere condotta e realizzata a vantaggio dell'intero paese, in Italia, «ponendosi contro o anche solo volendo neutralizzare le organizzazioni sindacali». Se questo convincimento è fondato, la questione che si pone in Italia è quella di andare a indagare «in qual modo e in quale misura l'attuale movimento sindacale, nel suo complesso, può essere considerato e utilizzato come elemento di una generale politica di sviluppo della società e dello Stato». La risposta a tale quesito esige, dicono gli editori, «un'indagine attenta sull'odierno sindacalismo italiano». Mancano però le opere, a tale riguardo. Bisogna perciò cominciare. «Ci sarebbe piaciuta – dichiarano gli editori – un'inchiesta di carattere statistico e anche sociologico e storico

* *Vicepresidente della Fondazione Giulio Pastore*

sul movimento sindacale italiano»: sul modello, esemplificando, dell'opera dei coniugi Webb sui sindacati britannici. Ma essi preferiscono scegliere un'altra strada. Hanno ritenuto che «come primo accostamento», per giungere alla conoscenza della realtà del movimento sindacale italiano, si dovesse passare prevalentemente non attraverso una minuziosa e diligente descrizione dei fatti, ma per la strada «che mena all'indagine e alla comprensione dell'attuale pensiero sindacale italiano, così vario e complesso». Il libro si propone pertanto di essere «un'indagine sul pensiero sindacale italiano», o, in altri termini, per dirla sempre con le parole degli editori, «la illustrazione delle singole concezioni attorno al sindacato, senza commenti e analisi interpretative». E affinché questo fosse fatto «nella maniera più limpida e genuina» gli editori hanno chiesto di compiere tale fatica «a chi meglio di ogni altro poteva compierla: cioè ai sindacalisti stessi, a coloro cioè che, con l'azione sindacale di ogni giorno, quelle concezioni difendono». In concreto essi si sono rivolti a Di Vittorio, Pastore, Viglianesi, in quanto segretari generali delle tre maggiori confederazioni; e a Rapelli, Santi, Enrico Parri, Canini, in quanto rappresentativi di particolari orientamenti di pensiero.

Come si ricava immediatamente dalla storia dell'opera, il saggio di Di Vittorio, come gli altri saggi contenuti nel volume, ha un preciso carattere, di essere, o di presumere di essere, un contributo che si colloca sul piano della storia del pensiero e delle correnti di pensiero, sul piano cioè, in altri termini, della storia delle idee: nel caso concreto sul piano delle idee che Di Vittorio ha in materia di unità sindacale.

Non occorre dire che la storia del pensiero di Di Vittorio sull'unità sindacale va integrata con la storia degli avvenimenti: dei fatti, cioè, ai quali Di Vittorio partecipò e attraverso i quali il suo pensiero si formava e nel medesimo tempo diventava azione. Si deve anche dire, sia pure incidentalmente, che in genere gli avvenimenti non si prestano a essere ricondotti a un unico pensiero. Ciascuno di essi ha molto spesso la sua unicità e non può essere compreso se non in determinate circostanze di luogo e di tempo. Tuttavia, nel caso di Di Vittorio, questa riconduzione ad *unum* della sua esperienza di sindacalista è possibile, perché è possibile, nella maggior parte delle circostanze, individuare quasi immediatamente l'intenzione costante di contribuire con la sua azione, con la sua politica, all'unità sindacale, mantenendo fede al proprio impegno di appartenente alla classe operaia e di comunista. Non è pensabile, infatti, né sarebbe corretto né onesto attribuire a Di Vittorio una «intenzione» diversa. Rimane del tutto aperta, evidentemente, nella storia di Di Vittorio vista dal lato degli avvenimenti la questione del *come,* nelle varie circostanze di tempo e di luogo, la sua intenzione si trasformò in atto, con tutti i condizionamenti derivanti dai rapporti con gli *altri,* e con tutti gli adattamenti che anche una intenzione costante come la sua non poteva non subire nel tempo.

Ma il saggio di Di Vittorio appartiene comunque alla storia del pensiero. E non per questo è meno utile, per capire la questione dell'unità sindacale in Di Vittorio. Non è soltanto una testimonianza, un documento del tempo, una manifestazione della cultura sindacale dell'epoca, ma è la posizione politica di Di Vittorio sorretta da un pensiero che si può variamente valutare, ma che comunque è il suo pensiero, che per lui conta, e non va confuso con la propaganda.

Per un primo accostamento al pensiero di Di Vittorio in tema di unità sindacale, si può partire dunque, come ho già detto all'inizio, da un suo testo, che è un testo valido, scritto per una circostanza impegnativa, e non è uno dei tanti discorsi di Di Vittorio sull'argomento. Prima ancora che dal testo, che contiene le risposte di Di Vittorio alle domande poste dal questionario, si deve naturalmente partire dalle domande: le quali a loro volta presentano un notevole interesse, se si ha in mente che l'autore del questionario è Antonio Tatò, il quale non è soltanto un «giovane e attento studioso di storia e problemi sindacali», ma è anche, in quegli anni, molto vicino a Di Vittorio e ha una specifica responsabilità nella Cgil.

La domanda contenuta nel questionario, al punto 6, non è certo la più adatta per un approfondimento della questione dell'unità sindacale in termini generali, in quanto è concentrata su un'unica problematica e su un unico momento della questione stessa. Ma è la più adatta per il dialogo che sul tema si instaura fra Tatò e Di Vittorio, legati in quel momento da una comune situazione nell'ambito della Cgil. In effetti la domanda si concentra sul problema dell'unità sindacale in Italia dal 1944 al 1954: perché in Italia si è potuta realizzare, in modo esemplare, dopo la seconda guerra mondiale, la «completa unità sindacale dei lavoratori»? Perché è stata perduta? E cosa occorrerebbe fare per recuperarla?

L'autore del questionario comincia con una constatazione di fatto: che in Italia è stato possibile realizzare l'unità sindacale completa «malgrado che le correnti sindacali con il maggior seguito delle masse lavoratrici avessero diverse concezioni del sindacato conformemente ai diversi princìpi ideologici cui esse si richiamavano». Constatato il fatto, egli passa ad esporre le ragioni che hanno permesso questa realizzazione. La prima delle ragioni è da cercare nella validità ormai universalmente riconosciuta del principio dell'unità sindacale: «che l'unità sindacale, oggi perduta, sia, per principio, condizione necessaria alla vita e allo sviluppo del sindacato, e la più idonea a favorirlo nel conseguimento dei suoi fini, è una verità che quasi nessuno nega». La tesi opposta non viene neppure presa in considerazione: non ha nemmeno la dignità necessaria per essere illustrata in astratto, sia pure a titolo di ipotesi. Esiste certo anche un altro fatto: che in Italia «l'unità sindacale non è più possibile ricostituirla e che la pluralità sindacale è un dato ormai ineliminabile»: ma è un fatto «deprecabile».

Partendo da queste considerazioni di fatto, il questionario termina coerentemente con una serie di domande, tutte pratiche (del genere «che fare?»), su come risolvere il problema di eliminare la pluralità sindacale e ricostruire l'unità. «Quali sarebbero – domanda il questionario – le ragioni che impediscono che risorga *oggi* quell'unità sindacale che *ieri* fu possibile organizzare? Ciascuna delle tre confederazioni dei lavoratori – Cgil, Cisl e Uil –, e tutte e tre insieme, avrebbero la possibilità di superare tali ostacoli? In definitiva quali condizioni bisognerebbe soddisfare in via preliminare perché torni ad essere possibile una riunificazione, vicina o lontana, dei tre sindacati esistenti in una sola organizzazione nazionale?».

Alla domanda, la cui validità euristica e la cui capacità analitica non sembrano invero fortissime, e che non sembra molto adatta a favorire quel «dibattito franco e aperto», che gli editori si erano proposti di suscitare, Di Vittorio risponde nel punto 6 sotto il titolo significativo «L'unità sindacale, esigenza obiettiva».

La risposta, come era prevedibile data la consonanza fra gli interlocutori, è ancora meno problematica della domanda. La premessa, che si dà per dimostrata, come si ricava dal titolo, è che l'unità sindacale è un'esigenza obiettiva. L'argomentazione a favore è articolata in due ragionamenti. Nel primo ragionamento si sostiene che «il primo requisito di un autentico sindacato è quello di essere unitario»; nel secondo si sostiene che i comunisti nel fare questa affermazione sono coerenti, non dicono, cioè, una cosa diversa da quella che hanno detto in passato dal 1921 in poi.

Per sviluppare il primo ragionamento, si comincia con l'individuare quello che è il compito primordiale proprio del sindacato: «eliminare la concorrenza fra i lavoratori». Per far questo il sindacato deve «rappresentare la grande maggioranza dei lavoratori della categoria data, e deve tendere a rappresentarli tutti». Questo comporta, di conseguenza, che il sindacato non dev'essere di tendenza, o di partito, o confessionale, perché altrimenti non sarebbe possibile la «libera convivenza nel suo seno di tutti i lavoratori della categoria, indipendentemente dalle loro opinioni politiche, dalla loro ideologia o dalla loro fede religiosa». L'applicazione di questo «principio» si ebbe felicemente e completamente nel Patto di Roma «firmato il 3 giugno 1944 – dice Di Vittorio sorvolando sull'evidente contraddizione fra la tesi enunciata, l'indipendenza dai partiti, e la realtà partitica dell'avvenimento – dai rappresentanti delle correnti sindacali dei tre maggiori partiti di massa italiani: comunista, socialista e democristiano, i quali rappresentavano nel complesso la stragrande maggioranza dei lavoratori italiani, e al quale aderiranno in seguito tutti gli altri raggruppamenti democratici aventi ramificazioni nelle masse lavoratrici».

E gli altri sindacati? Essi, in quanto «minoritari», non rappresentando, cioè, la grande maggioranza dei lavoratori, non hanno, per Di Vittorio, ragione di esistere. Poiché essi non possono adempiere, per lo scarso numero dei loro aderenti, i compiti che incombono al vero sindacato, «non possono avere che una funzione di disturbo verso il sindacato maggioritario, una funzione, cioè, oggettivamente negativa, nociva agli interessi dei lavoratori». Anche perché essi, costituendosi, «fanno entrare dalla finestra quella nefasta concorrenza fra i lavoratori la cui eliminazione è la stessa ragion d'essere del sindacato».

Di Vittorio non si limita, però, a questa delegittimazione funzionale dei sindacati minoritari. Li condanna anche sul piano morale, sostenendo che proprio per il fatto che essi provocano la concorrenza tra i lavoratori, «il padronato ha compiuto e compie ogni sforzo, in tutti i paesi, per creare sindacati scissionisti minoritari». «Non voglio dire con questo – precisa Di Vittorio – che *tutti* i sindacati scissionisti e minoritari sono stati creati o sono finanziati dal padronato». Alcuni di questi sindacati sorgono per esigenze ideologiche o di partito e confessionali che erroneamente si ritiene necessario affermare nel campo del lavoro, mediante la creazione di propri sindacati. «Questo è appunto il caso del movimento sindacale cattolico, esistente in numerosi paesi, compresa l'Italia». Non per questo egli però li legittima. Basandosi sulle sue esperienze personali e sui dati che ritiene acquisiti alla storia del movimento sindacale mondiale, egli ritiene che «la pluralità sindacale sia un grosso danno, anche dal punto di vista degli interessi di partito o religiosi o ecclesiastici».

Qui Di Vittorio torna, sia pure senza citarli esplicitamente, agli avvenimenti connessi al Patto di Roma del 1944, per sottolineare i vantaggi di cui godeva allora e di cui avrebbe potuto godere anche in seguito la corrente cristiana se fosse rimasta dentro il sindacato unitario. «Per un partito o per una confessione che vogliono esercitare la propria influenza fra le masse lavoratrici, vale molto di più – argomenta Di Vittorio – avere una propria corrente, anche minoritaria, che agisce in seno al sindacato unitario, anziché in un proprio sindacato striminzito». Nel primo caso l'appartenente al tale partito o alla tale confessione ha la possibilità di esercitare la sua influenza su tutte le masse dei lavoratori. Nel secondo caso, invece, l'influenza del partito o della confessione religiosa può esercitarsi soltanto su una minoranza di lavoratori, «quella già acquisita alla propria parte».

L'ultima argomentazione a favore dell'unità sindacale Di Vittorio la ricava, evidentemente, dalla sua esperienza personale di gestione degli organismi di massa collegati al sistema politico e ai partiti. «Un altro vantaggio dell'unità sindacale, con la presenza di tutte le correnti del sindacato unitario, consiste – egli dice – nel confronto possibile, su vari problemi che nascono nei sindacati, tra le tendenze più estreme e la necessità che nasce dall'esigenza unitaria di contemperarle: il che preserva il sindacato da ogni eccesso, sia di moderazione sia di estremismo».

Nella seconda parte della risposta Di Vittorio produce, per così dire, i documenti a sostegno della tesi della coerenza comunista nella difesa dell'unità sindacale. Quanti accusano i comunisti di settarismo sono in errore. I comunisti sono stati sempre per l'unità sindacale. Lo dimostra la storia. E per documentare la sua affermazione, Di Vittorio fa un tentativo che non può non essere funzionale all'obiettivo politico perseguito, di riscrivere la storia del movimento sindacale italiano secondo la vulgata corrente. Applicando questa operazione di scrittura viene presentata come unitaria la posizione – che unitaria non è – assunta dalla corrente comunista nella Confederazione generale del lavoro tra il 1921 e il 1926, collocando in questa luce il fatto che alla scissione partitica di Livorno non fece seguito una formale scissione sindacale della corrente comunista della Cgdl. Un fatto vero, quello che Di Vittorio ricorda, ma nel ricordare il quale egli sorvola sul contesto e sul significato di quel fatto, che si verificò non per una volontà di collaborazione con la maggioranza della Cgil, nonostante tutto, ma per la scelta di volerla contestare radicalmente e, se possibile, distruggerla e comunque rifiutando ogni forma di disciplina sindacale: con un'unica preoccupazione, quella di conformarsi alle direttive che venivano dall'esterno, sia dal partito sia dall'Internazionale di Mosca.

Ugualmente debole come documentazione è il tentativo che Di Vittorio fa di presentare i rapporti della corrente sindacale comunista con i sindacati bianchi, come ispirati al desiderio di unità. Egli dice, a questo proposito, sovrapponendo nella memoria fatti del 1923-1926 e fatti del 1944, che i comunisti si sforzarono, allora, di portare nella Cgdl anche i sindacati cattolici, pur sapendo che la presenza delle correnti cattoliche nella auspicata confederazione unitaria avrebbe reso più difficile per i comunisti la conquista della maggioranza. I risultati non furono quelli che ci si riprometteva; ma, secondo Di Vittorio, «una parte dei sindacati cattolici, quelli che avevano maggiormente lottato e vinto, contro il padronato, sotto la direzione e l'influenza del compianto onorevole Miglioli, accettarono l'idea dell'unità sindacale e si schierarono accanto alla Cgil». Non occorre neppure dire che i fatti non andarono così, come una qualunque storia del movimento sindacale di allora dimostra, né che, quando qualche coincidenza vi è fra i fatti e la versione che ne dà Di Vittorio, essa è soltanto casuale e ha comunque, nel contesto degli avvenimenti, un significato diverso da quello che si vorrebbe loro attribuire. Di conseguenza non si può dire certo che siano probanti i fatti ai quali Di Vittorio ricorre per «dimostrare e documentare che i comunisti non sono unitari soltanto quando essi sono maggioranza nel sindacato ma sono stati e sono unitari sempre». Né, del resto, Di Vittorio fa nessuno sforzo per presentarli in maniera persuasiva e accettabile: perché quello che egli vuole non è, in quel momento, nel 1954, di fare un libero e franco confronto, ma di affermare, sottraendola ad ogni discussione, la posizione della sua corrente sindacale, in quel momento in difficoltà.

Questo, e non altro, è il pensiero sindacale di Di Vittorio sull'unità sindacale quale risulta chiaramente dal testo del 1954. Il compito dello storico non è, per un primo accostamento, quello di giudicarlo, ma di accertare solo se è autentico, in una particolare accezione del termine, se esso, cioè, è veramente espressivo della convinzione reale di Di Vittorio in quel momento in materia di unità sindacale. O in altri termini: il pensiero di Di Vittorio sull'unità sindacale è effettivamente quello espresso nel testo pubblicato nel volume *I sindacati in Italia*, oppure ce n'è un altro, nascosto, ma ugualmente reale, che occorre andare a scoprire?

La mia opinione è che non ci sia niente da scoprire. Il pensiero di Di Vittorio sull'unità sindacale è quello espresso in tutta la sua chiarezza, e direi brutalità, nel testo del 1954: ed è un pensiero che, pur comprendendo la situazione in cui esso veniva formulato, in quanto nega legittimità al pluralismo e poiché assolutizza la linea del sindacato unitario fino a configurare un sindacato unico, finisce per essere, nella sua essenza, contrario al principio di libertà sindacale, essenziale per lo sviluppo democratico.

Una tale conclusione non è, a mio parere, di poco rilievo, e non solo per capire e per spiegare il pensiero di Di Vittorio, ma per capire la cultura, le idee, la mentalità della Cgil in tema di unità sindacale anche successivamente, in particolare negli anni in cui si ripeté il tentativo di ricostruire l'unità sindacale: e anche dopo, fino a ieri, forse.

Concludendo, e premesso sempre che il testo del 1954 è autentico, mi preme di dire peraltro (anche se è superfluo farlo fra persone che non hanno altro obiettivo che di porre correttamente una questione storiografica) che la storia degli avvenimenti che accompagnano l'azione pratica di Di Vittorio non è così facile a farsi come quella del pensiero. Essa richiede analisi molto estese e letture molto raffinate, soprattutto su un punto specifico: su come Di Vittorio, nell'esperienza concreta dell'esercizio della funzione di tutela, che è un punto di onore per un sindacalista autentico, concilia la sua posizione di militante comunista, che lo porterebbe a ritenere non legittima e al limite scissionista ogni azione condotta da altri soggetti, con la linea di unità d'azione che egli effettivamente persegue in tutti questi anni.

Per scrivere questa storia quotidiana di Di Vittorio occorre, naturalmente, seguire vie diverse da quelle percorse o da percorrere per la storia del pensiero. Occorre riprendere gli avvenimenti ad uno ad uno nella loro unicità, a cominciare da quelli citati dallo stesso Di Vittorio, e cercare per ciascuno di essi come effettivamente Di Vittorio, restando fedele alle sue convinzioni e ai suoi princìpi (né poteva essere diversamente per un uomo della sua coerenza), seppe peraltro – ed è questa l'ipotesi su cui si deve lavorare – contemperare la rigidità derivante dalla sua appartenenza partitica con le esigenze proprie dell'azione di tutela nonché con le esigenze, che egli ebbe sempre a cuore, istintivamente, prima ancora che per una scelta politica, dello sviluppo economico e democratico del paese. Non è una direzione di ricerca facile, me ne rendo conto, perché si tratta di andare talvolta al di là di quello che viene detto e scritto, di discernere e di distinguere le intenzioni rispetto ai fatti, pur lavorando, in sostanza, su materiale già noto ma forse trattato con un'ottica e con categorie interpretative diverse da quelle che oggi possiamo adottare.

Insisto, però, nel dire, concludendo questa prima esplorazione della materia, che l'impegno pur necessario di studiare il tema dell'unità sindacale in Di Vittorio sulla base dei fatti può essere distinto, nel lavoro di ricerca, da quello che si può avviare subito più facilmente sulla storia del suo pensiero.

E ripeto che la storia del pensiero sindacale di Di Vittorio non è una storia di fantasie, di immaginazioni: è la storia di un pensiero che, quale che sia il giudizio che se ne voglia dare sul piano politico, è molto organico e molto strutturato. Questo è vero, del resto, non solo per Di Vittorio, ma anche per molti altri protagonisti della storia del movimento sindacale, anche di quelli che dichiarano di volersi ispirare a un sano pragmatismo: perché niente, per il sindacato e per il sindacalista, è più forte del richiamo ai convincimenti di fondo e ai valori di cui il sindacato è portatore.

Alle radici dell'unità. Origini e prospettive di un problema ancora aperto

di Aldo Forbice [*]

L'impegno per l'unità sindacale di Giuseppe Di Vittorio non fu mai un obiettivo tattico o strategico, né tantomeno un esercizio di retorica o un rito da celebrare nelle grandi occasioni. Egli ne fece una ragione politica e direi personale prima, durante e dopo le scissioni della Cgil unitaria del 1948-1949. Certo, come vedremo, mirava a costruire e consolidare l'unità dei lavoratori, piuttosto che l'unità dei sindacati (la differenza non è marginale), ma in questo impegno quotidiano trasfondeva buona parte delle sue energie. Già nel gennaio del 1945, a pochi mesi della costituzione della Cgil, scriveva su *Rinascita*: «Consideriamo l'unità sindacale realizzata nella Cgil come la maggiore conquista del proletariato italiano; e consideriamo sopportabili anche i più gravi sacrifici di parte, per favorirne il consolidamento. L'unità sindacale non deve essere concepita soltanto come unità fra le correnti politiche, ma come unità totale. Unità tra i lavoratori materiali e intellettuali, demolendo l'antica diffidenza reciproca che generò in passato ostilità, errori ed eccessi che non dovranno più ripetersi; unità dei lavoratori tutti delle città e delle campagne. L'unità sindacale, oltre che lo strumento più efficiente di autodifesa e di conquista di tutti i lavoratori, senza eccezioni, sarà il tessuto fondamentale della nostra unità nazionale. Non ci sono e non ci saranno lavoratori e sindacati separatisti in Sicilia né altrove. Nulla di ciò che è antistorico può trovare posto nei sindacati operai. L'unità sindacale sarà un fattore di equilibrio di tutto il movimento, poiché le varie correnti unite tempereranno gli eccessi possibili in ciascuna di esse. L'unità sindacale, abituando i lavoratori tutti alla reciproca tolleranza delle idee rispettive, eliminerà gli eccessi settari del passato, che sono sempre espressione di arretratezza, ed eleverà il

[*] *Giornalista, saggista*

tono delle controversie politiche e il costume civile del nostro popolo. L'unità sindacale sarà un fattore di stabilità politica e di progresso democratico».

Questa lunga citazione sintetizza, più di tanti discorsi e di tanti saggi, il pensiero di Di Vittorio sull'unità: un obiettivo dunque mai acquisito realmente, ma da conquistare giorno per giorno nelle lotte e nella pratica sindacale quotidiana. Un principio questo che Di Vittorio cercava di attuare sin dagli inizi della sua attività di sindacalista, quando, come attivista e organizzatore rivoluzionario, militava nell'Unione sindacale italiana. Amava raccontare che, come dirigente sindacale, rompeva di frequente la disciplina dell'Usi, impegnata a promuovere organizzazioni in contrapposizione a quelle della Confederazione generale del lavoro. In Puglia Di Vittorio fece prevalere fra tutte le componenti sindacali questo concetto: «I sindacati aderiscano all'Unione sindacale italiana, quando la grande maggioranza lo decide liberamente, oppure restino autonomi, o aderiscano alla Confederazione del lavoro, quando la maggioranza così decide, perché mai un sindacato sia diviso in due; perché mai ci siano due sindacati nella stessa località o nella stessa fabbrica».

Un principio cui rimase fedele anche nei giorni «caldi» della scissione cattolica del 1948. Nella relazione al Consiglio nazionale della Cgil (Firenze, 2-5 ottobre 1948) Di Vittorio pose questo interrogativo: «Come bisogna comportarsi in quei pochissimi sindacati locali o nazionali nei quali gli scissionisti avevano la prevalenza?». Egli diede subito una risposta che lasciò perplessi o irritati i sindacalisti comunisti più intolleranti.

«Uscire da questi sindacati – disse il leader della Cgil – per costituirne altri da contrapporre ad essi, significherebbe facilitare il compito dei fautori della scissione. Perciò, nei sindacati ove gli scissionisti prevalgono, la minoranza dei fedeli all'unità deve restare nel sindacato operandovi attivamente». Nella realtà questo principio non venne quasi mai rispettato: il clima di rissa fra la Cgil e le altre due confederazioni che si erano costituite (e, almeno in un primo tempo, anche fra Cisl e Uil) non favorì le condizioni politiche per poter coesistere all'interno di un sindacato, sia pure locale o nazionale. Ma è significativo che Di Vittorio potesse dare indicazioni così eterodosse, così «autonome», in omaggio appunto alla sua ostinata fiducia nell'unità dei lavoratori. L'unità dei lavoratori era dunque per Di Vittorio il principio prioritario su altre considerazioni e ragioni politiche od organizzative. Credo che tutti gli storici e i protagonisti sindacali delle diverse aree politico-sindacali ormai concordino sul fatto che Di Vittorio soffrì profondamente per le scissioni del 1948-1949 e poco o nulla avrebbe potuto fare per evitarle. Anzi sono in molti a sottolineare che le «diaspore» dei sindacalisti cattolici, laici e socialdemocratici vennero ritardate per l'attiva presenza di Di Vittorio, che ebbe anche la fortuna di lavorare con uomini della tempra di Achille Grandi e di Fernando Santi: uomini che credevano fermamente nell'unità e per conservarla si impegnarono sino all'ultimo, senza tentennamenti e perplessità[1]. Forse – ha affermato di recente uno dei protagonisti di primo piano della scissione democristiana, Bruno Storti – se Di Vittorio fosse stato presente alla prima riunione del Comitato esecutivo della Cgil, dopo lo sciopero generale seguìto all'attentato a Togliatti (il segretario della confederazione si trovava negli Stati Uniti per una conferenza dell'Ufficio internazionale del lavoro), forse la scissione si sarebbe evitata. Questo significativo riconoscimento non credo, tuttavia, che possa trovare un riscontro storico. È noto infatti che la scissione fu la conseguenza di eventi interni, politici ed economici (la fine del governo di unità nazionale, con la cacciata dei socialisti e dei comunisti ad opera di De Gasperi), e internazionali (la divisione del mondo nelle sfere di influenza americana e russa, i gravi problemi della ricostruzione del dopoguerra e il piano Marshall e così via). Il leader della Cgil avrebbe quindi forse evitato, in quel momento, cioè dopo l'attentato a Togliatti, la scissione, ma sareb-

---

[1] Non si tratta di una dimenticanza involontaria se non ho citato, insieme con Grandi e Santi, un altro popolarissimo sindacalista, Oreste Lizzadri, leader della corrente socialista della Cgil. Questo dirigente sindacale, che si definiva erede del riformista Bruno Buozzi, caratterizzò la sua attività in senso «fusionista». Egli sosteneva cioè la necessità di costituire un unico partito dei lavoratori, come risultato della fusione del partito comunista e del partito socialista e ovviamente, in campo sindacale, della confluenza dei sindacalisti socialisti nella corrente comunista. La sua azione non si differenziò molto da quella di Di Vittorio, di cui fu un fedelissimo estimatore. Anzi spesso esasperò – negli anni del patto di unità d'azione Pci-Psi – le divisioni all'interno del partito socialista tra morandiani e nenniani, da una parte, e gli autonomisti, dall'altra. Anche queste tensioni di partito contribuirono ad accelerare le scissioni della Cgil, con l'uscita – dopo quella consistente dei democristiani, guidati da Giulio Pastore – dei socialdemocratici, socialisti autonomisti e repubblicani.

be stato solo un breve rinvio. Ormai i tempi stringevano, come hanno confermato anche in analisi recenti i protagonisti di quegli anni roventi. Lo stesso Rinaldo Scheda, per molti anni segretario confederale della Cgil, ha riconosciuto (in un dibattito con Bruno Storti e Italo Viglianesi per presentare un libro) che «la ragione vera della scissione è da ricercare nella fragilità del Patto di Roma». Scheda però non si è limitato a questo giudizio. «Era assurdo pensare – ha sottolineato – che, sull'onda dell'unità antifascista, sulla base di una intesa partitica potesse nascere una duratura unità sindacale. La ragione della divisione era sbocciata già nel 1944, quando abbiamo deciso di stare insieme. Noi abbiamo fatto la resistenza insieme, abbiamo fatto tante esperienze insieme ma abbiamo abusato troppo della nostra generosità. Il Patto di Roma è stato un atto generoso ma quell'atto non poteva reggere, anche perché è difficile realizzare un'unità organica tra forze diverse e poi contarsi. Oggi (giugno 1989, *nda*) io riconosco che le motivazioni di coloro che diedero vita alla Cisl erano giuste».

Il Patto di Roma fu dunque una grande illusione? Non è questo capitolo che vogliamo approfondire in questa sede. Quello che ci interessa osservare è che Giuseppe Di Vittorio non fu un grande illuso: egli cioè fu consapevole dei limiti di quell'accordo, promosso dai rappresentanti delle grandi forze politiche (Pci, Dc e Psi), che diede vita al sindacato unitario; si convinse però che quella scelta fosse «obbligata» per costruire un sindacato unitario, profondamente diverso da quello prefascista, capace con gli anni di diventare sempre più «indipendente» dai partiti politici. Fu un'illusione questa? A giudicare dai risultati (storici) sembrerebbe di sì. Anzi sarebbe facile oggi affermare che tutta una serie di preoccupazioni di Bruno Buozzi e, in parte, di Achille Grandi espresse durante la fase di preparazione del Patto di Roma erano giuste (come risulta anche dalle lettere e dai documenti resi noti da qualche anno).

Ma non vogliamo occuparci, in questa sede, di quella lontana polemica, anche se certo gli orientamenti del dibattito durante gli incontri clandestini finirono col lasciare qualche influenza anche nella Cgil unitaria.

Di Vittorio non rinunciò ad alcuna pur piccola possibilità per evitare le scissioni e per ricostruire, dopo la formazione del pluralismo sindacale, le condizioni per ridar vita a una unità d'azione, nella prospettiva di una nuova unità organica. Ecco perché, all'indomani della scissione, quando il giovane Luciano Lama manifestò a Di Vittorio quasi un senso di liberazione per la possibilità di maggiore movimento che la Cgil avrebbe potuto avere, dopo l'uscita dei sindacalisti cattolici, l'anziano leader gli rispose corrucciato: «Ma per quale strada possiamo andare? Quando le strade dei lavoratori diventano più d'una, la marcia si rallenta e minaccia ogni giorno di volgersi all'indietro»[2].

Ecco perché, all'indomani della «separazione» dei sindacalisti cattolici, laici e socialisti autonomisti, Di Vittorio non perse occasione di riprendere i contatti con i «fratelli e compagni» che avevano fatto scelte organizzative diverse, superando rancori, ostilità e preconcetti, inevitabili in quel clima di aspre polemiche. Un mese dopo la nascita della Uil Di Vittorio (insieme con Santi e con altri dirigenti della Cgil) partecipò a un incontro (il 5 aprile 1950) con il vertice della nuova confederazione (Viglianesi, Dalla Chiesa, Vanni ecc.) per concordare la possibilità di una unità d'azione fra le tre confederazioni sindacali. All'incontro la Uil aveva invitato anche la Lcgil, ma Pastore disertò la riunione. Di Vittorio fu entusiasta di quell'incontro, confermando la sua capacità di lasciare alle spalle ogni risentimento politico e personale nella prospettiva della «ricucitura» unitaria: anche in questi episodi si riconferma l'incessante impegno del sindacalista pugliese per l'unità dei lavoratori: l'unità nelle lotte, nelle trattative con le controparti, private e pubbliche (imprenditori e governo), nelle fabbriche e nella società. Di Vittorio cercò di «coprire» in tutti i modi gli effetti delle scissioni, cercando di recuperare anche un'immagine unitaria. Al secondo congresso della Cgil (Genova, 4-9 ottobre 1949) si continuò a far figurare, insieme con le correnti comunista (69,80 per cento) e socialista (22,23 per cento), anche le correnti (del tutto simboliche, se non inesistenti) dei socialdemocratici (1,94 per cento), dei «cristiani unitari» (1 per cento; due anni prima, al congresso di Firenze, la corrente cristiana aveva ottenuto il 13,4 per cento), dei repubblicani (0,51 per cento), dei sardisti (0,05 per cento), dei sindacalisti anarchici (0,13 per cento), degli indipendenti (1,03 per cento) e degli autonomisti (0,05 per cento).

[2] Luciano Lama, *Di Vittorio*, Roma, Esi, 1972.

Naturalmente si trattava di una immagine unitaria della Cgil ormai fittizia, anche perché i rappresentanti delle correnti minori nel vertice confederale erano tenuti in ben poco conto dai sindacalisti comunisti e socialisti. «Era quello un pallino di Di Vittorio – osserva Lama – perché doveva dimostrare a tutti i costi che le scissioni non avevano scalfito la natura unitaria della Cgil»[3].

L'autonomia dai partiti

Un impegno, un'attenzione e direi una sensibilità pari a quella profusa sul tema dell'unità sindacale Di Vittorio mostrò verso la delicatissima questione dell'autonomia del sindacato dal partito. Egli usava il termine «indipendenza» e non il più moderno «autonomia», ma il significato attribuito era sostanzialmente identico. Certo sul terreno dell'autonomia Di Vittorio faceva molta fatica a convincere Palmiro Togliatti e tutto il gruppo dirigente del Pci che il tempo della «cinghia di trasmissione» leninista doveva tramontare. Già negli anni dell'esperienza unitaria della Cgil la pressione dei cattolici, dei socialisti autonomisti e dei laici era incessante: la polemica sugli scioperi politici era sempre viva e il tentativo di Fernando Santi (benedetto da Di Vittorio) di modificare l'articolo 9 dello Statuto della Cgil, per venire incontro alle richieste dei sindacalisti democristiani (al congresso di Firenze del 1947), non ebbe molto successo. Il «compromesso Santi - Di Vittorio» (che venne ugualmente rifiutato dalla corrente sindacale cristiana) stabiliva che gli scioperi «a difesa della repubblica e lo sviluppo della democrazia e delle libertà popolari, quelli relativi alla legislazione sociale, alla ricostruzione e allo sviluppo economico del paese» dovevano essere decisi a maggioranza di tre quarti dei componenti degli organi dirigenti. Di Vittorio non risparmiava occasione pubblica per pronunciare discorsi tesi a ribadire e sottolineare la necessità dell'indipendenza dai partiti politici, anche se i quadri dirigenti e, in generale, tutta l'organizzazione seguiva nella pratica quotidiana l'allineamento più rigido con le direttive di partito, ad ogni livello organizzativo. Vale tuttavia la pena di ricordare un suo discorso, estremamente signifi-

[1] In Aldo Forbice, *Il sindacato del dopoguerra,* Milano, Franco Angeli, 1990.

cativo a questo proposito, pronunciato a un convegno sull'industria a Torino (30 aprile 1950): «Noi siamo l'organizzazione sindacale unitaria di tutti i lavoratori italiani senza nessuna distinzione di sorta. E noi non solo dobbiamo essere, ma dobbiamo agire, come organizzazione che, oltre ad essere indipendente, come premessa fondamentale, dai padroni e dal governo, è anche indipendente dai partiti. Non val nulla a nessun partito asservire o subordinare un sindacato alle esigenze particolari di partito... Ogni lavoratore ha il diritto di essere iscritto al partito di sua scelta, di militare, di compiere il proprio dovere e di onorarsi di questo. Ma un comunista – e io mi voglio limitare al comunista, ma gli esempi si possono estendere – il quale tentasse di subordinare le esigenze del sindacato ad una presunta esigenza particolare del partito comunista, non solo commetterebbe un errore, ma non renderebbe servizio al proprio partito. Nessun partito ha bisogno di subordinare a sé delle collettività di lavoratori. La propaganda, l'agitazione, la politica, l'ideologia e l'azione generale dei partiti può essere svolta lasciando al sindacato la sua piena indipendenza e la sua piena libertà». Queste affermazioni, particolarmente importanti per il periodo storico-politico in cui vennero pronunciate, vennero contraddette, come si è già spiegato, dalla pratica quotidiana di stretta dipendenza tra partiti e sindacati. Non bisogna dimenticarsi infatti del clima fortemente ideologizzato, degli scontri e risse politiche degli anni cinquanta anche nel movimento sindacale, fra le diverse componenti. Era troppo forte la «presa» del Pci sul sindacato, era troppo stretto il legame ideologico tra partito comunista e sindacato e l'osmosi di quadri dal Pci alla Cgil (un fenomeno, quest'ultimo, simile, anche se meno rigido, a quello esistente tra il partito socialista «frontista» e la corrente sindacale della Cgil).

Ma il primo vero «strappo», difficile e sofferto, si verificò – per merito di Di Vittorio – al tempo della rivolta ungherese del 1956: uno «strappo» che, seppure con elementi di contraddizione, rappresentò un primo importante segnale di autonomia verso il superamento effettivo della «cinghia di trasmissione».

Il fatto è noto, ma credo sia utile ricordarlo. Sui fatti ungheresi, subito dopo l'inizio della rivolta antirussa, del 24 ottobre 1956, la Cgil si schierò, con un comunicato ufficiale, a fianco dei lavoratori «ribelli». In una nota della segreteria confederale si

affermava «la condanna storica e definitiva di metodi antidemo-
cratici di governo e di direzione politica ed economica. Sono questi metodi che determinano il distacco fra i dirigenti e le masse
popolari». Nel documento si condannava anche il ricorso
«all'intervento di truppe straniere». Di Vittorio approvò quella
presa di posizione ma, per la verità, non fu lui a proporla.

L'iniziativa venne presa dalla corrente socialista, come ha
avuto modo di raccontare più volte Piero Boni: «Quella mattina
in Cgil Fernando Santi non c'era. Fu Giacomo Brodolini a scrivere il testo del documento sull'Ungheria. Lo scrisse davanti a me.
Poi lo portammo a Lizzadri che non ebbe esitazioni. Tutti e tre
entrammo poi nell'ufficio di Di Vittorio; Lizzadri, seduto davanti
a lui, gli porse il foglio dicendo:'Ecco, Peppino, questa è l'unica
cosa possibile'. Di Vittorio lesse e subito disse:'Va bene'». Per la
prima volta, dunque, su un fatto politico così rilevante, la Cgil si
differenziava nettamente dal Pci, che aveva aspramente condannato la rivolta ungherese e approvato l'intervento sovietico. Lo
«scandalo» fu grande. E Di Vittorio se ne assunse tutta la responsabilità, anche se nei giorni successivi la pressione del partito fu
tale che egli dovette rettificare (almeno questa fu l'impressione
che se ne ricavò all'esterno) la posizione della Cgil. «È impressionante – ha scritto anni dopo Giorgio Benvenuto, ex segretario
generale della Uil – per la sua nitidezza la distinzione che Di
Vittorio, in disaccordo con la linea del suo partito, seppe fare tra
il suo essere militante di un partito politico e il suo essere dirigente sindacale. Questa, pur con le sue contraddizioni e le sue ambi-
guità, resta una delle pagine chiave del movimento sindacale»
(discorso al convegno di studio, promosso dalla Federazione
Cgil-Cisl-Uil, su Di Vittorio,14-15 dicembre 1977).

La difficile situazione politico-sindacale di quegli anni non
consentì alle altre due organizzazioni sindacali di cogliere le
novità di quella posizione, che venne poi portata avanti da Di
Vittorio al congresso del suo partito, con l'esplicita rivendicazione della fine del «collateralismo» partito-sindacato che pose definitivamente in soffitta (sul piano teorico ma, per diversi aspetti,
anche sul piano pratico) la concezione leninista di rigida subordinazione del sindacato al partito.

All'ottavo congresso del Pci (Roma, 8-14 dicembre 1956) Di
Vittorio affrontò con decisione il nodo del rapporto sindacato-par-

tito. Disse: «Bisogna liquidare definitivamente la famosa teoria della 'cinghia di trasmissione', che ebbe la sua origine dalla celebre risoluzione del congresso internazionale di Stoccarda del 1907, che definiva i compiti rispettivi del sindacato e del partito in ogni paese. A quei tempi, quando esisteva un solo partito della classe operaia e un solo movimento sindacale di ispirazione socialista, quella risoluzione era sostanzialmente giusta. Oggi ... i sindacati sono divenuti più numerosi, accogliendo nelle proprie file tutti i lavoratori salariati, hanno raggiunto un alto livello di maturità e debbono adempiere compiti più complessi e di più grande rilievo sociale. Oltre a ciò, la liquidazione della teoria della 'cinghia di trasmissione' è giustificata anche dal fatto che esistono attualmente più partiti operai che esercitano influenza sui vari strati di lavoratori organizzati. I sindacati quindi, per essere unitari, non possono essere la cinghia di trasmissione di nessun partito. Propongo che questo principio venga affermato chiaramente nella risoluzione conclusiva dei nostri lavori, e che tutti i comunisti d'Italia siano impegnati ad osservarlo scrupolosamente. Noi siamo, insieme ai compagni socialisti, i principali fautori dell'unità sindacale. Dobbiamo sempre tener presente perciò che ogni ingerenza di partito, o comunque estranea, nel sindacato costituisce un attentato alla sua unità. Questo principio vale anche per i quadri sindacali, che non debbono essere rimossi dai loro posti per esigenze di partito. Ciò permetterà una maggiore stabilità e un più alto livello di formazione dei quadri sindacali».

Quei semi di autonomia coraggiosamente lanciati dal «passionale» sindacalista pugliese hanno germogliato, con gli anni, portando «l'indipendenza» del sindacato a livelli avanzati (con l'attuazione delle incompatibilità degli incarichi politici e sindacali ecc.), anche se la questione è ancora oggi all'ordine del giorno dei rapporti fra i tre sindacati confederali e costituisce oggetto di dibattiti e confronti di grande attualità fra sindacati e partiti politici.

Il potere in fabbrica: la contrattazione articolata

Quello «strappo» ungherese era stato preparato da un'altra storica svolta – anche questa voluta da Di Vittorio –, quella sulla contrattazione articolata: una svolta di politica sindacale ma che aveva determinato frizioni anche con i sacerdoti dell'ortodossia marxista, dentro e fuori del sindacato. Secondo questi teorici la contrattazione a livello aziendale, teorizzata dalla Cisl e dalla Uil, avrebbe potuto sviluppare spinte corporative, pesanti condizionamenti degli imprenditori sulle organizzazioni sindacali aziendali: spinte molto forti, con pericoli di disgregazione e di influenza (anche politica) che il «sindacato di classe» non avrebbe potuto facilmente controllare. Del resto lo stesso Lama riconosce oggi che il gruppo dei dirigenti (gli anziani, ma anche i giovani come lui) aveva sottovalutato, per ragioni più ideologiche che sindacali, il problema della contrattazione articolata e, in generale, la questione del potere del sindacato di negoziare a livello di fabbrica ogni aspetto della condizione di lavoro. Soltanto dopo la sconfitta nelle elezioni per i rinnovi delle commissioni interne alla Fiat Di Vittorio comprese che non si potevano più lasciare la Cisl e la Uil da sole a rappresentare le idee nuove sulla rappresentanza sindacale nei luoghi di lavoro. Egli, prima di tanti giovani, riconobbe i suoi errori di strategia e si sforzò di far capire al gruppo dirigente della Cgil (soprattutto, ai sindacalisti più politicamente legati al partito comunista) che il sindacato non perde la sua natura di organizzazione di classe se decide di contrattare nei luoghi di lavoro. Un altro tabù, dunque, veniva superato per volontà di un anziano leader, a cui va riconosciuta la grande forza dell'intuizione, di capire «il vento delle idee nuove» e di farle proprie, anche se le innovazioni arrivano dal «campo nemico», dalla concorrenza, dagli «amici degli imprenditori, del governo e degli imperialisti americani», come venivano definite nella polemica politica di quei rissosi anni cinquanta la Cisl e la Uil.

«Il sindacato di classe – diceva Luciano Lama nel dicemhre 1977, in un discorso commemorativo di Di Vittorio – non rinuncia alla sua natura contrattando in fabbrica, vi rinuncia se, contrattando in fabbrica o no, perde la nozione della identità degli interessi dei lavoratori, pratica scelte rivendicative che dividono le maestranze anziché unirle, si ispira alle esigenze individualistiche o di gruppo invece di far prevalere gli interessi collettivi più generali. Ma questo difetto, questa lebbra che colpisce il sindacato quando si pone sulla via dell'aziendalismo, non si combatte rinunciando alla contrattazione in fabbrica, bensì con una politica, con una strategia, con una ideologia che vincola le strutture corporative e l'egoismo dei gruppi su una linea più avanzata e classista, che si applichi con coerenza ad ogni livello della contrattazione e in ogni momento della vita del sindacato. Queste cose ci disse Di Vittorio in quel lontano aprile del 1955, e non si può dire che le abbiamo dimenticate».

Come si vede, le preoccupazioni «classiste», «corporative» e ideologiche erano molto forti, difficili da superare a quell'epoca. Possiamo quindi immaginare quanti ostacoli e resistenze dovette superare Di Vittorio per convincere i quadri dirigenti del sindacato, ai diversi livelli dell'organizzazione, ad abbandonare la pratica del centralismo e promuovere l'autonomia contrattuale in fabbrica. Certamente, questa intuizione o «prezzo da pagare» – come la si vuole giudicare – va ascritta interamente all'eredità di Di Vittorio: una eredità di politica sindacale che si collega strettamente alla sua concezione di autonomia e unità sindacale.

La pratica delle lotte e della contrattazione in fabbrica contribuì infatti sensibilmente al superamento delle tensioni e delle risse tra i sindacati, all'avvio della politica di unità d'azione e alla ripresa del dibattito sull'unità organica che negli anni settanta portò alla Federazione Cgil, Cisl, Uil (anche se, esaurita la carica propulsiva, fallì anche questo tentativo unitario per una nuova grave crisi nel rapporto di autonomia tra sindacati e forze politiche).

In conclusione, dunque, che cosa rimane di Di Vittorio nella politica di unità sindacale? Schematicamente, si può affermare che la cultura solidaristica, insita nel sindacato confederale, ha conservato stimolanti fermenti unitari. È incomprensibile oggi – a trentacinque anni dalla morte di Di Vittorio – un pluralismo sindacale che ha molto in comune in fatto di esperienza e concezione sindacale e pochi elementi «ideologici» di differenziazione. Certo, organizzazioni come la Cgil e la Uil sono più permeate storicamente della cultura di sinistra, con influenze marxiste, mazziniane, operaiste, soreliane e così via, mentre organizzazioni come la Cisl appaiono più impermeabili a queste influenze ideologiche, ma vivono, fra molte contraddizioni, spinte diverse: politiche, religiose, operaiste e corporative. L'immagine di quest' ultima confederazione è di maggiore coesione e omogeneità (anche se al suo interno non mancano tensioni, che però, a differenza del passato, non sembrano tradursi in componenti più o meno organizzate). Tutti questi dati di sintesi del pluralismo sindacale di oggi, che non ha superato dopo oltre quarant'anni «collegamenti» e subordinazioni alle forze politiche, non possono certo impedire la formazione di una nuova forza sindacale unitaria e realmente autonoma. Se Di Vittorio oggi fosse con noi non risparmierebbe energie per questo obiettivo: la creazione di un nuovo sindacato, che superi il sindacalismo tradizionale degli iscritti, che punti sulla difesa delle condizioni dei lavoratori anche nella società. Uomini come Di Vittorio (ma anche come Bruno Buozzi e Achille Grandi) oggi non avrebbero dubbi – di fronte alla crisi dei partiti politici e al degrado morale del paese – su quali strumenti potenziare per cambiare la società, cominciando dal sindacato. La lezione di Di Vittorio sull'unità sindacale è dunque ancora oggi attualissima perché i termini politici della divisione, nonostante i mutamenti del quadro dei rapporti politici internazionali (la fine del comunismo all'est, il tramonto delle ideologie marxiste ecc.), sembrano paradossalmente immutati. Ancora oggi dunque discutiamo di un nuovo «Patto di Roma», non certo come quello promosso e firmato dai tre più importanti partiti antifascisti nel 1944, ma di una ricomposizione unitaria profondamente diversa. L'unità, dunque, rimane il grande obiettivo degli anni novanta, da conquistare (giorno per giorno, incessantemente), come ripeteva spesso Giuseppe Di Vittorio: un sindacato da costruire certo senza ignorare le proprie radici storiche ma proteso verso il futuro, per aggiornare la propria concezione di difesa degli interessi del cittadino e di cambiamento democratico della società.

Sindacato e mezzogiorno.
Il contributo di Di Vittorio alla questione meridionale

di **Emanuele Macaluso** [*]

Più volte mi sono chiesto quale influenza ebbe la presenza di Di Vittorio alla guida della Cgil, negli anni cruciali del dopoguerra, per il sud del paese. E quale contributo diede questo bracciante pugliese per rendere comprensibili e accettabili le ragioni del popolo meridionale alla classe operaia del nord e rompere un muro di diffidenza che divideva i lavoratori del mezzogiorno da quelli delle altre regioni. Quando si parla del meridionalismo, risorto negli anni quaranta-cinquanta, e dei movimenti di massa che lo caratterizzarono, il nome di Di Vittorio emerge con nettezza, con un'autonoma posizione e con un'eccezionale autorevolezza.

Ricordare oggi questo dirigente sindacale è, da questo punto di vista, di grande interesse e attualità. La questione meridionale sembra infatti un ricordo del passato, dato che è emersa una «questione settentrionale», come preminente e deflagrante, ai fini stessi dell'unità nazionale. Il nodo del mezzogiorno sembra oggi identificarsi con quelli della criminalità mafiosa, del dissesto della finanza pubblica, del parassitismo sociale, del malgoverno. Causa, quindi, dell'insorgere di una questione settentrionale.

Nel nord il fenomeno leghista ha infatti come riferimento negativo il sud, parassita e corrotto, palla al piede del nord produttivo, laborioso, in regola col fisco e proteso a unificarsi con l'Europa forte. E le leghe sono sostenute anche da fasce consistenti di classe operaia, di lavoratori organizzati nella Cgil.

Sull'altro versante, il sud sembra rassegnato alla sua emarginazione, sempre più fuori dalle problematiche e tensioni europee. I gruppi di potere che hanno governato il mezzogiorno rosicchiano le risorse residuali dell'intervento pubblico e non hanno più l'ardire di indicare una prospettiva legata ad una politica che ha

[*] *Membro della direzione del Pds*

provocato una lacerazione nazionale, un'«insurrezione» nordista, nonostante l'accresciuto divario tra nord e sud. Questa è la contraddizione di cui sono responsabili le vecchie classi dirigenti: il deperimento pauroso del mezzogiorno diventa causa di una rivolta, al nord, contro il sud. «Cornuti e mazziati», come si usa dire. Ma occorre constatare che di fronte a questa drammatica realtà non c'è una reazione né a sud né a nord.

Il sindacato attraversa una delle crisi più gravi della sua storia e non emerge una proposta, un'iniziativa unificante, in grado di contrastare efficacemente fenomeni disgreganti come il leghismo o la rassegnazione corporativa e assistenzialista. Occorre però dire subito che questa crisi del sindacato si incrocia con quella della sinistra nel suo complesso. La Cgil di Di Vittorio, di Santi, Novella, Foa non fu una cinghia di trasmissione del Pci, come si dice con superficialità. Ma sarebbe sbagliato non ricordare che la sinistra nel suo complesso costituì, anche e soprattutto nel sud, un riferimento forte nell'iniziativa della Cgil, nella sua stessa collocazione negli schieramenti sociali, politici e culturali che si contrapposero negli anni quaranta e cinquanta. La Cgil fu quindi parte autonoma, per la sua funzione di sindacato, ed essenziale nel meridionalismo di sinistra espresso in quegli anni.

L'Italia non è più quella di allora e il sud di oggi non è più quello di Di Vittorio, anche nei suoi tratti storico-politici unificanti che davano senso alla questione meridionale.

Ma oggi si pone una domanda inquietante: quali sono le responsabilità del passato rispetto al presente? Voglio dire che la contestazione radicale e sradicante dei partiti si estende ormai al sindacato. E si mettono in discussione le scelte fatte negli anni quaranta-cinquanta-sessanta. Non perché furono tradite attese rivoluzionarie sgorganti dalla Resistenza – oggi non è più di moda questa contestazione – ma per il fatto che il sindacato e la sinistra non hanno saputo impedire il degrado meridionale, il dominio di gruppi di potere che hanno saccheggiato enormi risorse, l'estensione del fenomeno mafioso e camorristico. Anzi, si dice, i sindacati (non solo i partiti della sinistra) hanno praticato un consociativismo tale da assecondare, in definitiva, l'instaurarsi di un vero e proprio regime, di un «inferno», come dice Giorgio Bocca nel suo libro sul sud.

Vediamo quindi quali furono le scelte di Di Vittorio negli anni in cui il sindacato fu rifondato e, nel sud, spesso fondato per la prima volta nella storia d'Italia. E come si sono proiettate nel paese di ieri e di oggi quelle scelte.

1944: la rinascita sindacale nel mezzogiorno

La Cgil – dopo il Patto di Roma per l'unità sindacale – convocò il suo primo convegno delle organizzazioni dell'Italia liberata, presenti un'autorevole delegazione sindacale anglo-americana e il segretario della Federazione mondiale, il 15-16 settembre del 1944. La confusione politica era grande: lo sfascio economico-sociale anche. Le speranze, le ingenuità e spesso l'ira dei lavoratori del mezzogiorno sono testimoniate dalla storia di quei mesi. La Cgil unitaria fa quindi le sue prime prove non nel nord industriale, non dove la classe operaia è forte e ha una tradizione, ma nel sud disgregato, arretrato, con una forte impronta feudale. La vecchia confederazione del lavoro, di D'Aragona, Rigola e altri riformisti, era un'organizzazione essenzialmente concentrata al nord e con una ispirazione nordista. Le esperienze sindacali del sud furono molto fragili e complesse. Di Vittorio del resto era un testimone di questa eredità. Il sindacato quindi risorge con il vecchio quadro e con innesti nuovi dovuti all'iniziativa dei partiti. Le resistenze all'unità erano forti e il numero di sindacati spuri elevato.

Di Vittorio gettò tutto il peso della sua storia e della sua autorità di figlio del mezzogiorno per unificare il sindacato, per ripulirlo da inquinamenti, per farne un soggetto attivo e moderno della nuova democrazia. Fu questo il primo ed eccezionale contributo dato da Di Vittorio ad nuovo meridionalismo e alla democrazia italiana. Fare uscire il sud dalla confusione politica, dalla subalternità, dal ribellismo impotente fu l'impegno centrale dell'opera di Di Vittorio e della ricostruzione del sindacato.

Il congresso di Napoli (dal 28 gennaio al 1° febbraio del 1945) testimoniò questo sforzo e avviò un processo di unificazione. Processo sorretto dai partiti. Proprio perché il sindacato prefascista era debole, l'azione dei partiti per l'impianto del nuovo sindacato, nel sud, fu più evidente.

Ho ritrovato il verbale (porta anche la mia firma) che sancisce l'unità sindacale della Camera del lavoro di Caltanissetta (21 febbraio 1945) e vi partecipano non solo i segretari delle due organizzazioni («bianca e rossa») ma gli esponenti dei tre partiti – Pci, Psi, Dc – i quali designano i nuovi dirigenti.

Di Vittorio, forte della sua esperienza, pone quattro questioni: i nuovi contratti agrari (ed esalta giustamente i primi accordi per ripartire, nella colonia pugliese, i prodotti più equamente), l'assegnazione delle terre incolte, lo sviluppo industriale del sud, le infrastrutture e i servizi civili essenziali. Sulle questioni agrarie una prima risposta viene data con i decreti del ministro dell'agricoltura, Gullo: una più giusta ripartizione dei prodotti nella mezzadria impropria e l'assegnazione delle terre incolte alle cooperative di contadini poveri.

Il movimento si sviluppò su questo terreno, rivendicando il rispetto della legge contro gli agrari e i gabellotti mafiosi abituati ad evaderla e ad avere dalla loro parte ministri, prefetti, magistrati e marescialli dei carabinieri. Nascono le leghe anche dove non ci sono mai state. Ma si comincia anche a sparare. Nel settembre del 1944 a Villalba (provincia di Caltanissetta) gli uomini della mafia sparano a Li Causi e vengono lanciate bombe: è una strage. Cadono i primi capilega assassinati. Le rivolte contro i municipi, gli assalti ai palazzi comunali, in Puglia, in Calabria, in Sicilia, segnalano una rabbia antica e sete di vendetta, ma al tempo stesso una debolezza e una immaturità del movimento. Di Vittorio lotta su due fronti, dare al movimento un indirizzo e una disciplina democratica e imporre alle autorità statali, legate al vecchio regime, il rispetto delle leggi, della legalità e della dignità dei lavoratori: su questa base nel sud si sviluppa un movimento sindacale sempre più autonomo rispetto ai partiti e cresce un quadro nuovo, giovane, proveniente dal mondo del lavoro o dagli studi. Sono tanti i giovani intellettuali che trovano il sindacato di Di Vittorio non solo una possibilità di impegno sociale e politico, ma una scuola di vita, l'educazione a fare i conti con i fatti, con la realtà concreta di ogni giorno, con l'esigenza di migliorare con i contratti, con nuove leggi, le condizioni dei lavoratori. Da questo punto di vista Di Vittorio è stato un maestro grande, un educatore di masse e di singoli, un esempio straordinario. Il propagandismo, l'ideologismo, la superficialità e la strumentalità che caratterizzavano un certo quadro di partito (non tutto) non aveva grandi spazi in quel sindacato.

Scusate se ricordo la mia esperienza. Come segretario della Camera del lavoro di Caltanissetta prima e segretario regionale della Cgil poi, firmai centinaia di contratti per piccole categorie nella mia città (fornai, barbieri, commessi di piccoli negozi senza rompere con questi piccoli artigiani e commercianti) e grandi categorie come i braccianti, gli zolfatari, gli edili. Scioperi, nelle miniere, che duravano anche sessanta giorni in paesi poveri coinvolgevano la tua esistenza, sentivi la responsabilità della vita di migliaia di persone, di intiere comunità chiamate a decidere con te del loro futuro. Di Vittorio seppe infondere in tutti noi questo modo di concepire il sindacato, la corresponsabilità di chi dirigeva e dei lavoratori.

Le leghe, le Camere del lavoro locali, diventarono centri di vita sociale e culturale, luoghi di formazione civile e del carattere. Quando oggi si vede come la mafia domini la vita di grandi e piccole città, si chiede la presenza dello Stato, dei carabinieri, dell'esercito, come deterrente. Non si riflette invece sul fatto che negli anni quaranta-cinquanta la mafia fu combattuta grazie alla presenza sul territorio delle organizzazioni dei lavoratori, grazie al fatto che anche i giovani disoccupati ricevevano un'educazione, una speranza e un impegno. La coscienza antimafiosa crebbe con la lotta ma anche con l'organizzazione, con la solidarietà, col rispetto reciproco, con la difesa dell'uomo e della donna come cittadini. Sì, il sindacato fu anche questo, come lo erano stati i fasci siciliani alla fine del secolo scorso.

Ma torniamo all'impostazione del congresso del gennaio 1945. In questo momento che stiamo vivendo, tra nord e sud, a cui ho accennato, vale la pena di ricordare per intero la parte della relazione di Di Vittorio dedicata a questo nodo irrisolto. Eccola: «È noto a tutti, compagni ed amici, che quando la nostra Italia si è formata ad unità nazionale, la sua unità è rimasta per lungo tempo qualche cosa di esclusivamente amministrativo; alcune popolazioni specialmente del mezzogiorno hanno conosciuto che la patria era unita soltanto attraverso i reali carabinieri e gli agenti delle imposte.

«Questa unità amministrativa e formale non è una reale unità, non è quella di cui tutto il popolo italiano ha bisogno. Noi sappiamo che vi sono in Italia profonde disparità sociali ed economiche fra regioni e regioni. Noi sappiamo che il mezzogiorno d'Italia è stato sempre marcato da un netto carattere di inferiorità. Non ignoriamo i motivi che sono alla base di questo complesso di inferiorità, e per questo vogliamo porvi fine. Noi vogliamo che l'unità della patria nostra sia basata su radici profonde, su un'eguaglianza fondamentale di diritti, di doveri, di condizioni economiche e sociali di tutte le regioni d'Italia. E oggi che il paese è stato quasi totalmente distrutto, specialmente in alcune regioni, e si tratta appunto di ricostruirlo, noi dobbiamo evitare l'errore che sarebbe fatale al paese e al popolo, di ricostruirlo sulla base delle stesse ingiustizie preesistenti. Noi dobbiamo ricostruire un'Italia su una base unitaria e con una distribuzione più equa delle industrie; dobbiamo evitare l'errore di riconcentrare in alcune regioni le principali industrie italiane e dobbiamo portare una parte delle industrie, delle nostre belle industrie, in tutte le regioni d'Italia!

«Noi dobbiamo abolire una volta per sempre queste differenziazioni regionali che impediscono il compimento del processo unitario della nostra patria. E se il primo Risorgimento è mancato a questa funzione storica, il secondo Risorgimento d'Italia non deve mancare a questa grande missione di solidarietà nazionale per cui dalla Puglia al Piemonte, dalla Sicilia alla Lombardia, tutti ci sentiremo fratelli».

Le parole pronunciate da Di Vittorio sembrano elementari e ingenue. Egli pone il tema dello sviluppo industriale del sud nel momento in cui si mette mano alla ricostruzione e chiede che le industrie non vengano «riconcentrate» solo dov'erano, che vi sia una redistribuzione di questa attività. Impresa certo non facile se pensiamo al fatto che capitali, operai specializzati, tecnici sono al nord. Ma al sud c'erano dei nuclei di industria e di lavoratori specializzati, non solo a Napoli e a Palermo. Non era pensabile certo un riequilibrio in quella situazione. Ma era pensabile e possibile l'avvio di una politica di industrializzazione del sud in un contesto in cui la riforma agraria e lo sviluppo di infrastrutture e opere civili segnassero un processo di modernizzazione.

Lo sviluppo e la modernizzazione furono sempre al centro del pensiero di Di Vittorio. Concludendo i lavori del congresso confederale di Firenze (giugno 1947), Di Vittorio ricordò che cosa aveva detto qualche giorno prima ai braccianti pugliesi: «È interesse fondamentale dell'economia nazionale la trasformazione fondiaria. Se voi potete riuscire ad ottenere che mille ettari di terreno a coltura cerealicola, che producono pochissimo e occupano appena quindici giornate di lavoro all'anno per ettaro, vengano trasformati in vigneti e oliveti ottenendo così due o trecento giornate di lavoro, voi avrete determinato una maggiore fonte di lavoro, di produzione e di ricchezza e vi sarete creati del lavoro per l'avvenire». E aggiungeva: «Se questo avviene, accettate anche una lieve riduzione dei vostri salari per i lavori di trasformazione fondiaria, che andrà a vantaggio di tutta la nazione».

Una linea, questa, che Di Vittorio terrà sempre ben ferma: coniugare gli interessi dei lavoratori e quelli della nazione; il salario, l'occupazione e lo sviluppo economico, la modernizzazione. Una linea che non mutò negli anni in cui il Pci e il Psi, non più al governo, svolgevano nel parlamento e nel paese una dura opposizione. Tutta l'impostazione del Piano del lavoro ha questa dimensione politico-sociale.

Lo sviluppo economico del paese

C'è oggi chi fa risalire a questa impostazione il cosiddetto consociativismo tra sindacato, forze politiche di sinistra e governo. Il Piano del lavoro fu lanciato al congresso della Cgil svoltosi a Genova nell'ottobre del 1949. C'erano già stati la rottura dei governi di unità nazionale, il voto del 18 aprile del 1948, la svolta nella politica economica e sociale, l'avvio di una repressione poliziesca e giudiziaria feroce, l'attentato a Togliatti e gli scioperi che seguirono e infine la scissione sindacale. Il clima nel paese era pesante e pesantissimo quello internazionale. Il Piano aveva un respiro nazionale e si rivolgeva costruttivamente alle altre classi. Era comunque un'alternativa alla politica economica e sociale di quegli anni. Da lì a poco il governo, nel sud, si presenterà con la Cassa del mezzogiorno, la riforma agraria (stralcio) e gli enti di riforma. Una risposta «meridionalista» monca che suscitò però interesse e aspettative.

Di Vittorio rispetto a queste iniziative non assunse una posizione di frontale contrapposizione, ma di lotta e di sfida ad andare più avanti e più a fondo con le riforme. La questione meridionale nel Piano aveva una collocazione nazionale, non era separata con provvedimenti parziali. Del resto in tutte le relazioni e in tutti i discorsi di Di Vittorio il mezzogiorno con i suoi problemi non è trattato in un capitolo a sé. Tutto viene ricondotto alla questione più generale: lo sviluppo complessivo del paese, gli interessi nazionali. E il Piano del lavoro, che fu certamente il progetto più compiuto di un intervento pubblico per accrescere la produzione e l'occupazione nazionali, fu anche un tentativo di dare respiro alla questione meridionale.

Di Vittorio, poi, con i suoi interventi, ovunque, riusciva a dare alla «questione» una dimensione umana e civile tale da renderla evidente, leggibile e insopportabile anche per chi non viveva il dramma del sud e delle prime grandi emigrazioni. La classe operaia maturò, così, nel fuoco di una dura esperienza di lotte, nelle fabbriche e fuori, una coscienza nazionale e meridionalista, un senso forte di solidarietà e di compartecipazione ad una vicenda politico-sociale comune.

A proposito del Piano del lavoro Di Vittorio scrisse che «si tratta di un piano di rinascita nazionale volto a mobilitare tutte le forze sane del paese, allo scopo di aggredire con mezzi concentrati ed efficienti l'intollerabile arretratezza economica dell'Italia, di debellare la disoccupazione permanente e la miseria endemica di tanta parte del popolo italiano, specialmente nel mezzogiorno e nelle isole». Questa sarà la base su cui si muoverà la Cgil almeno per un quinquennio. Dentro la cornice del Piano si svolsero grandi lotte sociali in tutto il paese e soprattutto nel sud. Anche la lotta contro il banditismo e la mafia in Sicilia si richiama a quella impostazione. Nelle conclusioni pronunciate al congresso del 1949 Di Vittorio disse: «Quando all'opinione pubblica si comunica clamorosamente la spedizione militare dei reparti di Scelba contro Giuliano, noi pensiamo che l'unica spedizione militare che potrebbe riuscire ad eliminare il banditismo e la mafia e a liberare il generoso popolo siciliano da una situazione inumana, dovrebbe essere una spedizione di ingegneri, di tecnici, i quali alla testa dei lavoratori siciliani dovrebbero cercare ed ottenere tutti i mezzi, per fare rinascere la Sicilia e l'Italia». Se penso che nell'anno di grazia 1992 si invia in Sicilia l'esercito per sconfiggere la mafia c'è da riflettere sul percorso di questo paese. Ma torniamo all'impostazione generale di Di Vittorio.

Lo schema storico-politico entro cui si muove è quello delineato da Gramsci, del Risorgimento come rivoluzione borghese mancata dato che la borghesia non fu in grado di risolvere la questione agraria e quindi quella meridionale. Ecco quanto disse nella sua relazione al congresso di Firenze: «Il Risorgimento non ha realizzato in tutta la loro compiutezza storica le riforme sociali. Il Risorgimento non fece neppure le più piccole riforme agrarie, per cui nell'agricoltura italiana sono ancora presenti residui feudali. Essa è un'agricoltura arretrata, con terre mal coltivate e male sfruttate, a scarso reddito, con un irrisorio assorbimento di mano d'opera. Il capitalismo italiano ha raggiunto la decrepitezza prima ancora di raggiungere la pienezza della maturità e questo lo fa ricorrere, giacché è storicamente condannato, a manovre inconfessabili, per reggersi e sopravvivere. Abbiamo avuto un Crispi, un Pellont, un Facta, poi il fascismo, e adesso la lenta degenerazione dello Stato democratico repubblicano in uno stato di polizia».

Di Vittorio si pone quindi il problema delle classi dirigenti, non in modo astratto. Dare ai lavoratori nuova forza col sindacato, un potere contrattuale non solo nei confronti dei padroni ma anche dello Stato, non solo per rivendicazioni salariali ma per riforme che incidano nel sistema economico, nello sviluppo della democrazia. Un sindacato, quindi, che ha una visione generale e «politica», cioè a livello dello Stato, dei rapporti di classe.

Quale bilancio può farsi di questa politica che via via si esaurì anche in ragione dei grandi mutamenti che si introdussero nella vita politica e nel sistema produttivo? Le elezioni politiche del 1953 (sconfitta della legge truffa e di De Gasperi) cambiano i rapporti di forza e il clima politico, anche nel sud dove il blocco democristiano del 1948 si rompe a sinistra, ma anche a destra. Infatti larghi strati di ceti possidenti, dopo la riforma agraria, si spostano verso il partito monarchico, i liberali, l'uomo qualunque. Al nord l'accumulazione capitalistica, grazie ai bassi salari, consentì utili e sprechi, ma anche innovazioni e investimenti tecnologici. Si manifestava così un cambiamento di fase che non fu colto in tempo. Alla Fiat, dove Valletta intrecciava la repressione con la trasformazione produttiva, la Cgil fu posta in difficoltà e nel 1955 subì, nelle elezioni delle commissioni interne, una sconfitta. Al sud la vendita fraudolenta delle terre, per eludere la legge di riforma, l'azione degli enti di riforma e della Cassa del mezzogiorno mutavano il panorama. D'altro canto i grandi industriali, in quel momento, sembrarono interessati a investimenti al sud, accarezzando un intervento pubblico per sostenerli. In ogni caso l'accresciuto intervento nelle opere pubbliche e in agricoltura sollecitava anche ristretti gruppi di borghesia locale a farsi avanti.

Il sindacato nel sud negli anni quaranta-cinquanta aveva combattuto forti battaglie non solo nelle campagne ma anche nelle fabbriche e negli uffici pubblici e nelle città per la rinascita. Il sindacato aveva vinto le prime lotte contro le «gabbie salariali». Insomma il «sogno» di Di Vittorio di vedere nel mezzogiorno un'organizzazione moderna, un perno della lotta per l'emancipazione e la democrazia, era ormai una realtà. Tuttavia, al nord come al sud, la Cgil a metà degli anni cinquanta colse con ritardo il mutamento di fase, si attardò nella politica del Piano del lavoro. Di Vittorio diede un contributo ad uscire da questa crisi. Il vecchio bracciante pugliese capì che la fabbrica cambiava, e doveva cambiare il sindacato nella lotta per lo sviluppo economico, partendo, appunto, dalla fabbrica, discutendo e contrattando le condizioni di lavoro, l'applicazione delle macchine e il loro rapporto con l'uomo, l'espansione del super-lavoro non retribuito o non sufficientemente retribuito, la disciplina interna nei rapporti di lavoro, discutendo cioè come è organizzata la produzione e come è organizzato il lavoro.

Un movimento sindacale e una contrattazione articolata era la risposta. E si avviò un lavoro i cui frutti matureranno più tardi nelle lotte dei primi anni sessanta. Ma questa torsione strategica che mette al centro il conflitto in fabbrica emargina la questione meridionale?

Il rischio di un'attenuazione della lotta meridionalista è da ricercare nel tipo di sviluppo che si impone al paese e nel carattere della risposta data non solo dal sindacato, ma dai partiti della sinistra. Già a metà degli anni cinquanta si delinea quello che poi sarà chiamato il miracolo economico italiano.

Di Vittorio, come ho ricordato, aveva auspicato nel 1945 un riequilibrio industriale fra nord e sud: non ricostruiamo quel che c'era dove c'era. Avviene invece che continua a piovere dove c'è il bagnato. L'industria e l'innovazione tecnologica si sviluppano al nord e il sud fornisce mano d'opera a buon mercato, provocando drammatiche congestioni nelle città industriali. Nel sud si dà avvio, con la Cassa del mezzogiorno, alle opere pubbliche spesso clientelari. Il fatto, oggettivamente necessario per il sindacato, di proiettare l'iniziativa operaia nelle fabbriche, anche per intervenire nei processi iniziali dell'accumulazione, attenua l'impegno meridionalista. L'emigrazione, da una parte, e l'impegno operaio in fabbrica, dall'altra, sospingono il movimento sindacale al sud ad una lotta per il lavoro che ha come punti di forza le opere pubbliche, l'imponibile di mano d'opera in agricoltura, l'allargamento dell'occupazione nella pubblica amministrazione, il miglioramento delle pensioni e altre prestazioni sociali.

Successivamente la strategia che verrà messa in campo per ottenere «poli di sviluppo industriale» con sovvenzioni della Cassa del mezzogiorno si tramuterà in un fallimento o in una gigantesca truffa. Ma siamo già negli anni settanta. Questa strategia, che ha coinvolto anche il sindacato, si dispiega dopo la scomparsa di Di Vittorio, ma traeva origine da una visione dell'industrializzazione del sud che era stata sua e di tutta la Cgil. È la linea della redistribuzione dell'industria. Ma al sud va l'industria chimica inquinante e inquinata dai finanziamenti pubblici. Costringere lo Stato, attraverso l'Iri e l'Eni, a invertire una linea giusta che si collegava alla lotta antimonopolistica, per le riforme di ristruttura: una lotta, questa, che conseguì anche successi di opinione e di alleanza. Nel 1955 fu eletto presidente della Repubblica Giovanni Gronchi e nel suo primo messaggio si dà una lettura della Costituzione che richiama fortemente la Repubblica fondata sul lavoro, sul diritto al lavoro. Il clima politico cambiava. Si pose con forza il tema del distaco dell'Iri dalla Confindustria e della nazionalizzazione dell'industria elettrica e della Montecatini. La Confindustria rispose con un patto di alleanza stretto con la Confagricoltura e la Confcommercio. Tuttavia, gli anni in cui Di Vittorio visse furono invece caratterizzati da una concentrazione di risorse finanziarie e umane al nord.

Di Vittorio muore nel momento in cui è in corso questo processo che, come ho detto, ebbe un primo sbocco nella ripresa delle lotte operaie e meridionaliste agli inizi del 1960. Sono gli anni in cui la politica centrista si va sempre più esaurendo attraverso convulsioni sociali e politiche. La sua politica ha lasciato una grande impronta. Oggi, come accennavo all'inizio di questo scritto, sembra che quelle impronte siano cancellate dal leghismo, dalla crisi del meridionalismo, dalla virulenza mafiosa, la quale non trova un argine nell'organizzazione delle masse lavoratrici nel sindacato e nei partiti della sinistra. Tuttavia io penso che ci sia qualcosa di profondo, di radicato nel mondo del lavoro che viene dall'insegnamento di Di Vittorio, l'unità, la solidarietà, la dignità, la giustizia. Questi valori torneranno e prevarranno. E Di Vittorio resterà un uomo non solo di ieri ma di domani.

Finito di stampare nell'ottobre 1993

EDIESSE

ovvero
I TUOI DIRITTI
IN PRIMA PAGINA

L'Ediesse è la Casa editrice della Cgil. La sua produzione editoriale, articolata in libri e riviste, è perciò molto attenta ai problemi del mondo del lavoro.

Nelle pagine seguenti troverete una presentazione dei programmi editoriali per il 1994. L'obiettivo è di fornire al lettore, sia con l'approfondimento dell'analisi sia con agili guide, strumenti utili per affrontare le contraddizioni vecchie e nuove della società contemporanea coniugando solidarietà e diritti.

Per l'acquisto di libri e riviste o per ulteriori informazioni rivolgetevi a:

Casa editrice Ediesse
Via dei Frentani, 4/a
00185 Roma
Telefono: 06/44870325
Telefax: 06/4469007

EDIESSE

I LIBRI EDIESSE

Vi presentiamo le collane della Casa editrice, indicando per ognuna i titoli più recenti e alcuni di quelli di prossima pubblicazione.

EsserBene
È una nuova collana che si propone di approfondire da molti punti di vista e con diversi approcci la questione della difesa e della riforma dello Stato sociale.

Titoli previsti:
La milza di Davide
Viaggio nella malasanità
di Giovanni Berlinguer

Il sistema di finanziamento della spesa sociale
a cura di Laura Pennacchi

Una società a misura di anziano
di Raffaele Minelli

Metis
Una collana al femminile per esaminare i complessi itinerari della specificità femminile nel lavoro, nella formazione, nei rapporti interpersonali, nella società civile.

Titoli usciti:
La parità tra consenso e conflitto
Il lavoro delle donne dalla tutela alle pari opportunità,
alle azioni positive
di Lea Battistoni e Gianna Gilardi
pagine 312, lire 20.000

Doppi legami
Creatività e variabile di genere nelle organizzazioni
di Lea Battistoni e altre
pagine 336, lire 32.500

Titoli previsti:
La donna è mobile
I cambiamenti nell'etica femminile dal dopoguerra ad oggi
a cura di Barbara Mapelli

Creatività in azienda
di M. Parker Follett

Flessibilità, orari, organizzazione
di Francesca Bettio

Conversazioni

È una nuova collana che si propone, con l'immediatezza del colloquio-intervista, di puntare i riflettori su personalità del sindacato, della politica e della cultura per conoscere la loro opinione sul presente e, soprattutto, su che cosa c'è dietro l'angolo.
Le prime interviste saranno con Vittorio Foa, Bruno Trentin, Gabriele Salvatores, Aris Accornero.

Il lavoro e le leggi

Questa collana dedica una particolare attenzione al diritto del lavoro, oggi in forte evoluzione in tutti i campi, avvalendosi della collaborazione di alcuni fra i migliori giuristi italiani.

Titoli usciti:
Pubblici impieghi a confronto

Un'indagine sulle normative di enti locali e sanità comparate con i settori privati
di Gian Guido Balandi, Stefano Cappelli, Costantino Gullì, Mauro Pascariello e Umberto Romagnoli
pagine 312, lire 32.000

La riforma del lavoro pubblico
La legge delega, il decreto legislativo delegato, i commenti
a cura di Giovanni Naccari
pagine 336, lire 33.500

Titoli previsti:
Il processo del lavoro
Proposte di riforma

Rappresentanza e rappresentatività

I futuri possibili

Al centro di questa collana vi sono i temi dell'ambiente e del territorio, della qualità della vita nelle città, dell'organizzazione dei servizi e dei tempi, della comunicazione e dell'innovazione tecnologica.

Titoli previsti:
Il sistema radiotelevisivo europeo
di autori vari

Storie e testimonianze

In questa collana si esprime l'impegno di ricerca e documentazione sulle origini e su momenti significativi del movimento operaio e sindacale italiano.

Titoli usciti:
Fiom. 100 anni di un sindacato industriale
di Piero Boni
pagine 288, lire 42.000

Titoli previsti:
Argentina Altobelli e le organizzazioni dei contadini
di Pino Ferraris e Giovanni Mottura

Dieci anni di Camere del lavoro
di Osvaldo Gnocchi Viani

Guide
Queste pubblicazioni affrontano temi di grande attualità con linguaggio divulgativo e con un ampio supporto di documentazione:

Titoli usciti:
Diritti senza frontiere
Notizie utili per il cittadino d'Europa
di Andrea Corrado
pagine 160, lire 5.000

Stress
Istruzioni per l'uso
di Angelo Filoramo
pagine 152, lire 10.000

Fondi pensione: che fare?
di Giuliano Cazzola e Antonella Di Renzo
pagine 160, lire 20.000

I miei primi 25 anni
di Massimo Cabiati, Giovanni Floris, Pietro Marta
pagine 168, lire 14.000

Progetti

È una nuova collana, dedicata alle intuizioni, alla riflessione critica, alla costruzione di scenari e prospettive sia nel campo delle relazioni industriali sia in quello dei rapporti sociali.

Formazione e lavoro

Questa nuova collana si propone di contribuire al dibattito culturale e politico sulla formazione moderna e sull'educazione degli adulti.

Titoli previsti:

Formazione per il lavoro
di Paolo Inghilesi

De Generazione novanta

È una collana anomala nel quadro delle pubblicazioni della Casa editrice Ediesse. Raccoglie narrativa dei giovani della "generazione della pantera" dedicata ai giovani.

Titoli usciti:

La giungla sotto l'asfalto
15 giovani scrittori raccontano
pagine 152, lire 12.000

Titoli previsti:

Branchie
Romanzo breve di Nicolò Ammanniti

L'Emile
Cento racconti di Stefano Cristante

EDIESSE

LE RIVISTE EDIESSE

Rivista giuridica del lavoro e della previdenza sociale

Fondata nel 1949 da Aurelio Becca e Ugo Natoli è ancora oggi punto di riferimento per quanti si battono per la tutela dei diritti nei posti di lavoro e la difesa dello Stato sociale. È un trimestrale diviso in due parti: una dedicata alla dottrina, alla saggistica, al dibattito, l'altra alla giurisprudenza.

L'abbonamento annuo è di lire 130.000, da effettuare tramite versamento su conto corrente postale n. 935015.

Rassegna di medicina dei lavoratori

Un trimestrale che affronta in termini divulgativi, ma senza discapito del rigore scientifico, i temi dei rischi nei settori lavorativi, della sicurezza degli impianti, dell'impatto ambientale, della formazione e contrattazione, della medicina legale.

L'abbonamento annuo è di lire 80.000, da effettuare tramite versamento su conto corrente postale n. 935015.

Sistemaricerca

Una rivista trimestrale che offre uno spazio aperto all'informazione, all'analisi e al dibattito sulle politiche per la ricerca scientifica e l'innovazione.

L'abbonamento annuo è di lire 35.000, da effettuare tramite versamento su conto corrente postale n. 935015.

L'assistenza sociale

È il bimestrale dell'Inca, patronato della Cgil. Le sue pagine sono sede privilegiata di dibattito e di confronto sulla riforma e l'estensione dello Stato sociale, sulla tutela dei diritti previdenziali dei lavoratori. La rivista è perciò un utile strumento per tutti coloro che nel sindacato, nelle istituzioni, nei luoghi di lavoro, sono impegnati sui problemi della sicurezza sociale.

L'abbonamento annuo è di lire 70.000, da effettuare tramite versamento su conto corrente postale n. 935015.

Ires materiali

È una rivista mensile dell'Istituto di Ricerche Economiche e Sociali e si pone come obiettivo di diventare punto di riferimento nel dibattito sui temi delle politiche industriali, dello sviluppo, dell'occupazione, dei processi educativi e delle relazioni sindacali.

L'abbonamento annuo è di lire 100.000, da effettuare tramite versamento su conto corrente postale n. 935015.

Notiziario giuridico

Il mensile dedicato all'informazione sulla legislazione e la giurisprudenza riguardanti il mondo del lavoro. Grazie all'apporto dei componenti della consulta giuridica della Cgil, la rivista è sede di confronto e dibattito politico-giuridico e dottrinario.

L'abbonamento annuo è di lire 70.000, da effettuare tramite versamento su conto corrente postale n. 935015.

UNIPOL ASSICURAZIONI

TUTTO COMINCIA CON UN POLLO

Buono, buono davvero il pollo in fricassea. Era l'agosto del '62 e a Vallombrosa sei uomini sedevano attorno ad una tavola ben apparecchiata e ricca di cibo. Il piatto forte, un pollo in fricassea. Si mangiava, e si discuteva. Nonostante l'aria calda d'estate e il clima da piene vacanze, quella era una colazione di lavoro. E lì, proprio lì stava nascendo l'Unipol.

Padrone di casa era Giulio Cerreti, presidente della Lega delle cooperative. E i suoi ospiti erano Oscar Gaeta, uno dei maggiori dirigenti della Lega, Enzo Bentini e Franco Fornasari, presidente e vice-presidente della Federcoop di Bologna, Gianfranco Ferri, segretario regionale della Cooperazione emiliano-romagnola e Sergio Getici, responsabile del servizio sindacale della Federcoop. In discussione c'era un'idea dei bolognesi: comprare un'assicurazione.

Trentun anni dopo, negli uffici del palazzo dell'Unipol in via Stalingrado, a Bologna, il presidente e amministratore delegato della Compagnia, Enea Mazzoli, gioca con storia e futuro e racconta: «Nel 1986, la Lega, una delle più grandi organizzazioni cooperative d'Europa, ha compiuto cent'anni. E va riconosciuto, apprezzando l'intelligenza di una struttura vecchia di un secolo e giovanissima di idee, che fu proprio saggia l'intuizione di quei dirigenti che nel 1962 decisero di acquistare una piccola compagnia di assicurazione di nome Unipol (abbreviazione di "unica polizza"). Fu una decisione dettata da una importante, indiscutibile esigenza economica, quella di offrire un nuovo e moderno servizio alle cooperative e una possibilità di autofinanziamento, sorretta da una forza ideale almeno altrettanto importante e da un obiettivo strategico: far crescere il movimento cooperativo».